Argraffiad cyntaf: 1995
Ail argraffiad: 2001

Cyhoeddwyd gan gynllun comisiynu llyfrau plant
Cyngor Celfyddydau Cymru

Rhif Llyfr Safonol Rhyngwladol: 0 86243 336 3

Argraffwyd a cyhoeddwyd yng Nghymru
gan Y Lolfa Cyf., Talybont, Ceredigion SY24 5AP
e-bost ylolfa@ylolfa.com
y we www.ylolfa.com
ffôn (01970) 832 304
ffacs 832 782
isdn 832 813

Golygydd ELERI ELLIS JONES

y Lolfa

Cynnwys

'Rwy'n gyfarwydd â chlywed ochenaid neu ddwy pan ddefnyddir y gair barddoniaeth. Bydda' i'n ceisio cysuro fy hun mai'r diflastod o orfod dadansoddi'n fanwl a pharatoi at arholiad sy'n tarfu ar fwynhad. Pethau byw, geiriau yn neidio oddi ar y dudalen yw cerddi: pethau i'w profi a'u blasu. Dylai cerdd danio'r dychymyg, cyffroi'r meddwl a deffro teimladau. Gobeithio y dewch o hyd i rai cerddi yma a fydd yn gwneud hyn i chi. Bydd 'na rai mae'n siŵr na fydd yn apelio atoch ond gobeithio y bydd 'na rai fydd yn aros ac y byddwch am ddod yn ôl atynt dro ar ôl tro. Fel blodyn yn agor, mae cerdd yn datgelu'i chyfoeth yn raddol, wrth ei darllen drosodd a throsodd.

Wrth ddethol y cerddi ceisiais sicrhau amrywiaeth. Gobeithiaf fod yma gerddi i'w darllen yn dawel, cerddi i'w rhannu ag eraill, cerddi i ogleisio ac ambell gerdd i herio. Ceir cerddi sy'n dangos cyfoeth ein traddodiad ochr yn ochr â cherddi newydd. Mae sŵn rhai cerddi'n hyfryd a lluniau yn llifo o eraill. Gadewch i'r beirdd ddangos eu byd i chi drwy sbectol inc. Ewch 'mlaen i ddarllen.

Diolch

Diolch i Gyngor Celfyddydau Cymru am noddi'r gyfrol hon ac i'r beirdd a ymatebodd i'r cais am gerddi newydd. Diolch hefyd i Marian Delyth am ddylunio'r gyfrol ac i Wasg Y Lolfa am eu gwaith manwl.

Eleri Jones

Geiriau

Ni wn, yn wir, pa hawl a roed i mi
I chware campau â'ch hanfodau chwi,

A'ch trin a'ch trafod fel y deuai'r chwiw,
A throi a throsi'ch gogoniannau gwiw;

Ond wrth ymyrraeth â chwi oll ac un
Mi gefais gip ar f'anian i fy hun.

T.H.Parry-Williams

'Linda waz ere'

Linda
'rwyn dy gyfarch rŵan
er nad ydw i yn dy nabod di.

Yma ar wal y Prom
yn y Rhyl
y syllaf ar d'ymgais
at anfarwoldeb graffiti.

Rhyw ddydd pan oedd y sement
yn feddal
a thithau awydd gadael d'ôl
ar yr hen fyd 'ma,
rhoist dy fys
i fandaleiddio'r sement cynnes
'Linda waz ere',
a dyna sut yr ydw i'n dy nabod di
i'th gyfarch.

Roeddwn am i ti wybod
ein bod ni gyd y run fath
yn yr hen fyd 'ma
– eisiau gadael rhyw argraff
ar ein marwoldeb.

Aled Lewis Evans

Hel meddyliau

Weithiau daw syniadau
yn rhyferthwy rhyfedd,
yn codi'n rheolaidd,
yn braidd byddarol,
fel defaid ar *escalators* tanddaearol
yn fy mhen.

Fe'u clywaf yn brefu'n y lle tocynnau,
yn gogordroi, wrth geisio allanfa
o'r Llundain llachar
sydd yn fy mhen.

Ond pan geisiaf eu gweld trwy sbectol inc
mae'r defaid yn rhusio wrth glywed clinc
y brawddegau
yn cael eu bathu
fel gefynnau
o fewn fy mhen.

Tu allan i 'mhenglog
pan driaf eu corlannu
â'm Cymraeg dwyieithog,
fydd dim gobaith Jeiro
mewn archfarchnad
gan fy meiro . . .
bydd y defaid wedi rhedeg
fel llinyn trwy adwy
yn fy iaith fylchog,
gan adael rhyw wlân o eiriau
ar weiren bigog fy llinellau.

Ifor ap Glyn

Yn nheyrnas diniweidrwydd

Yn nheyrnas diniweidrwydd
Mae'r sêr yn fythol syn;
Mae miwsig yn yr awel,
A bro tu hwnt i'r bryn.
Yn nheyrnas diniweidrwydd,
Mae'r nef yn un â'r rhos;
Mawreddog ydyw'r mynydd,
A santaidd ydyw'r nos.

Yn nheyrnas diniweidrwydd
Mae rhywbeth gwych ar droed;
Bugeiliaid ac angylion
A ddaw i gadw oed.
Mae dyn o hyd yn Eden,
A'i fyd, di-ofid yw;
Mae'r preseb yno'n allor,
A'r Baban yno'n dduw.

Yn nheyrnas diniweidrwydd
Mae pawb o'r un un ach;
Pob bychan fel pe'n frenin,
Pob brenin fel un bach.
Mae'r ych a'r ebol-asyn,
Y syml a'r doeth yn un;
A'r thus a'r myrr a'r hatling
Heb arwydd p'un yw p'un.

Yn nheyrnas diniweidrwydd
Mae pibydd i bob perth;
Ac nid oes eisiau yno,
Am nad oes dim ar werth.
Mae'r drysau i gyd ar agor,
A'r aur i gyd yn rhydd;
Mae perlau ym mhob cragen,
A gwyrthiau ym mhob gwŷdd.

Yn nheyrnas diniweidrwydd
Mae'r llew yn llyfu'r oen;
Ni pherchir neb am linach,
Na' i grogi am liw ei groen.
Mae popeth gwir yn glodwiw,
A phopeth gwiw yn wir;
Gogoniant Duw yw'r awyr,
Tangnefedd dyn yw'r tir.

Yn nheyrnas diniweidrwydd –
Gwyn fyd pob plentyn bach
Sy'n berchen llygaid llawen
A phâr o fochau iach!
Yn nheyrnas diniweidrwydd –
Gwae hwnnw, wrth y pyrth:
Rhy hen i brofi'r syndod,
Rhy gall i weld y wyrth!

Rhydwen Williams

Dangosaf iti lendid

Dere, fy mab,
i weld rhesymau dy genhedlu,
a deall paham y digwyddaist.
Dangosaf iti lendid yr anadl sydd ynot,
dangosaf iti'r byd
sy'n erwau drud rhwng dy draed.

Dere, fy mab,
dangosaf iti'r defaid
sy'n cadw, mewn cusanau, y Gwryd yn gymen,
y fuwch a'r llo yng Nghefen Llan,
bysedd-y-cŵn a clychau'r gog,
a llaeth-y-gaseg ar glawdd yn Rhyd-y-fro;

dangosaf iti sut mae llunio'n gain
chwibanogl o frigau'r sycamorwydd mawr
yng nghoed dihafal John Bifan,
chwilio nythod ar lethrau'r Barli Bach,
a nofio'n noeth yn yr afon;

dangosaf iti'r perthi tew
ar bwys ffarm Ifan a'r ficerdy llwyd,
lle mae'r mwyar yn lleng
a chnau y gastanwydden yn llonydd ar y llawr;

dangosaf iti'r llusi'n drwch
ar dwmpathau mân y mwsog ar y mynydd;

dangosaf iti'r broga
yn lleithder y gwyll,
ac olion y gwaith dan y gwair;

dangosaf iti'r tŷ lle ganed Gwenallt.

Dere, fy mab,
yn llaw dy dad,
a dangosaf iti'r glendid
sydd yn llygaid glas dy fam.

Dafydd Rowlands

Sbarclar

Noson chwil o liwiau chwâl,
Enfysau'n ffrwydro'n siwtrws swnllyd
A chwerthin plant
Yn drybowndian drwy'r gerddi.
Rocedi
Yn frwshys paent hyd yr awyr;
Sbloet gogoneddus o hwyl llachar
Yn troelli'n chwrligwgan Gatrin
Ar bolyn,
Yn tasgu'n llifeiriant
O'i wâl bridd,
Yn saethu'n sbectrwm gwibiog
I'r entrychion.
Prydferthwch pell,
Y tu hwnt i afael busneslyd
Y bysedd bychain.
Ac yna – RHYFEDDOD!
Mam yn sodro'n ei law
Hudlath wefreiddiol,
Brigyn yn deilio'n ddisgleirdeb;
Harddwch hyd braich.
Crwtyn cegrwth,
Â'i lygaid yn grwn gan syndod,
Yn cythru'n farus am y gwreichion,
Yn ysu am feddiannu'r hisian gwyn.
Mam yn atal y dwylo prysur, penderfynol
Dro ar ôl tro,
Ac yntau'r bychan
Yn sgrechian ei rwystredigaeth
Ac yn byddaru'r nos â'i siom.
Crio,
Heb ddeall eto
Mai peth peryg, poenus
Yw harddwch.

Menna Thomas

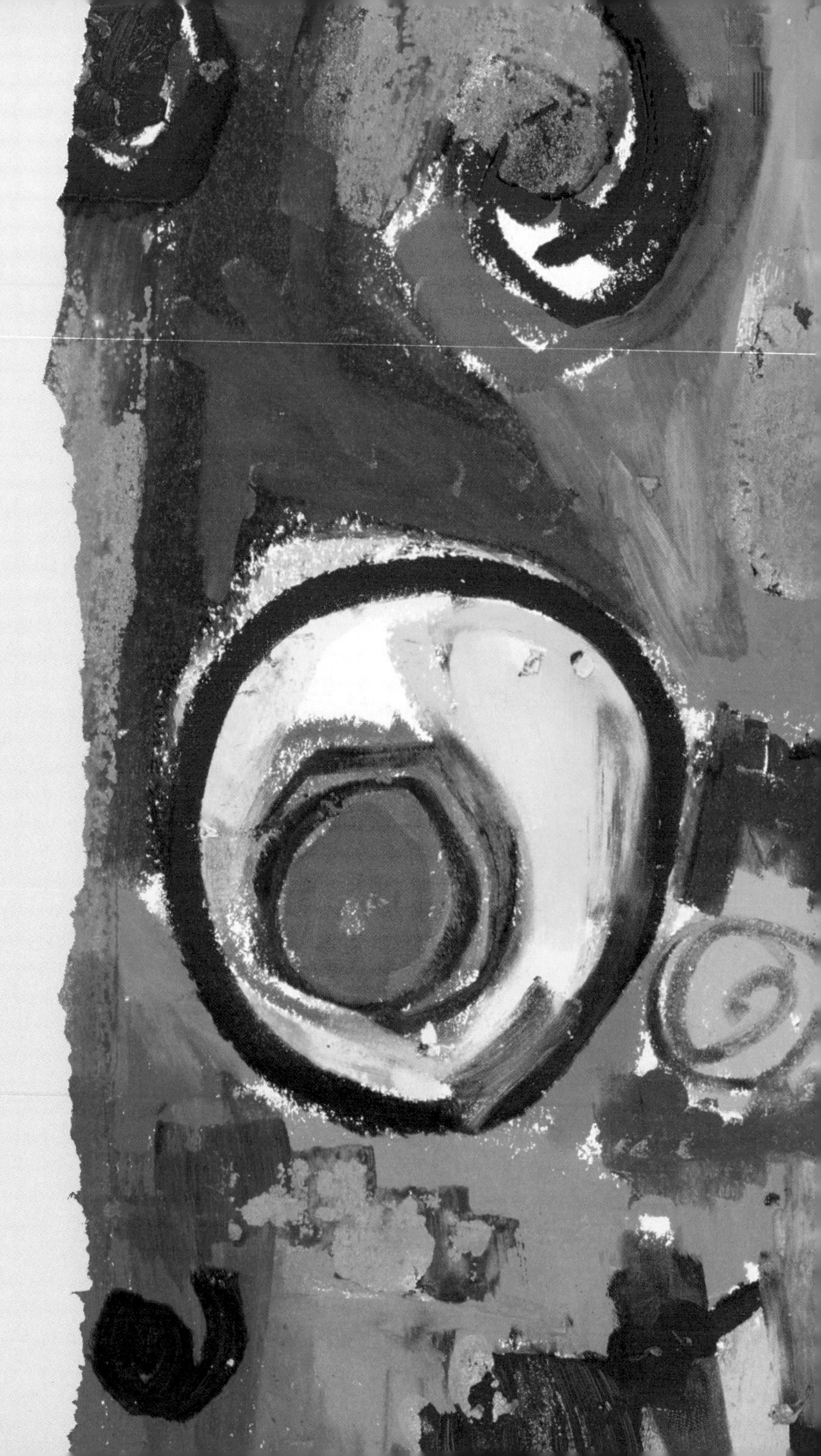

Pan oeddwn fachgen

Pan oeddwn fachgen yr oedd bro ryfeddol
yr ochr draw i'r mynydd:
yr haul yn sioncach yno, ym mlodau'i ddyddiau;
y lleuad yn fwynach, a'i gorchudd o gyfaredd
yn gorwedd yn ddiwair ar dwyn a dôl;
y nos fel sagrafen,
y wawr fel serch ieuanc,
y nanwddydd fel sglefrio ar y Môr o Wydr,
yr hwyr fel hoe wedi lladd gwair;
wynebau'r werin fel llestri tseina
a'u lleisiau fel ymson dyfroedd dirifedi
rhwng ffynnon a môr.
a'r bobl yn feibion a merched dihenydd,
yn dywysogion ac iarllesau yn y llys;
a holl linellau natur, meddwl, cymdeithas
a dawn ac ewyllys ac aberth
a'r achub a'r trueni a'r hedd,
holl linellau menter, hawl, tosturi,
yn cyfarfod draw ar wastad y llygad
mewn pwynt darfodedig, diddarfod
a elwid Nef:
a'r cyfan yr ochr draw i'r mynydd,
ym Merthyr, Troed-y-rhiw ac Aber-fan,
cyn imi groesi'r mynydd
a gweld.

Pennar Davies

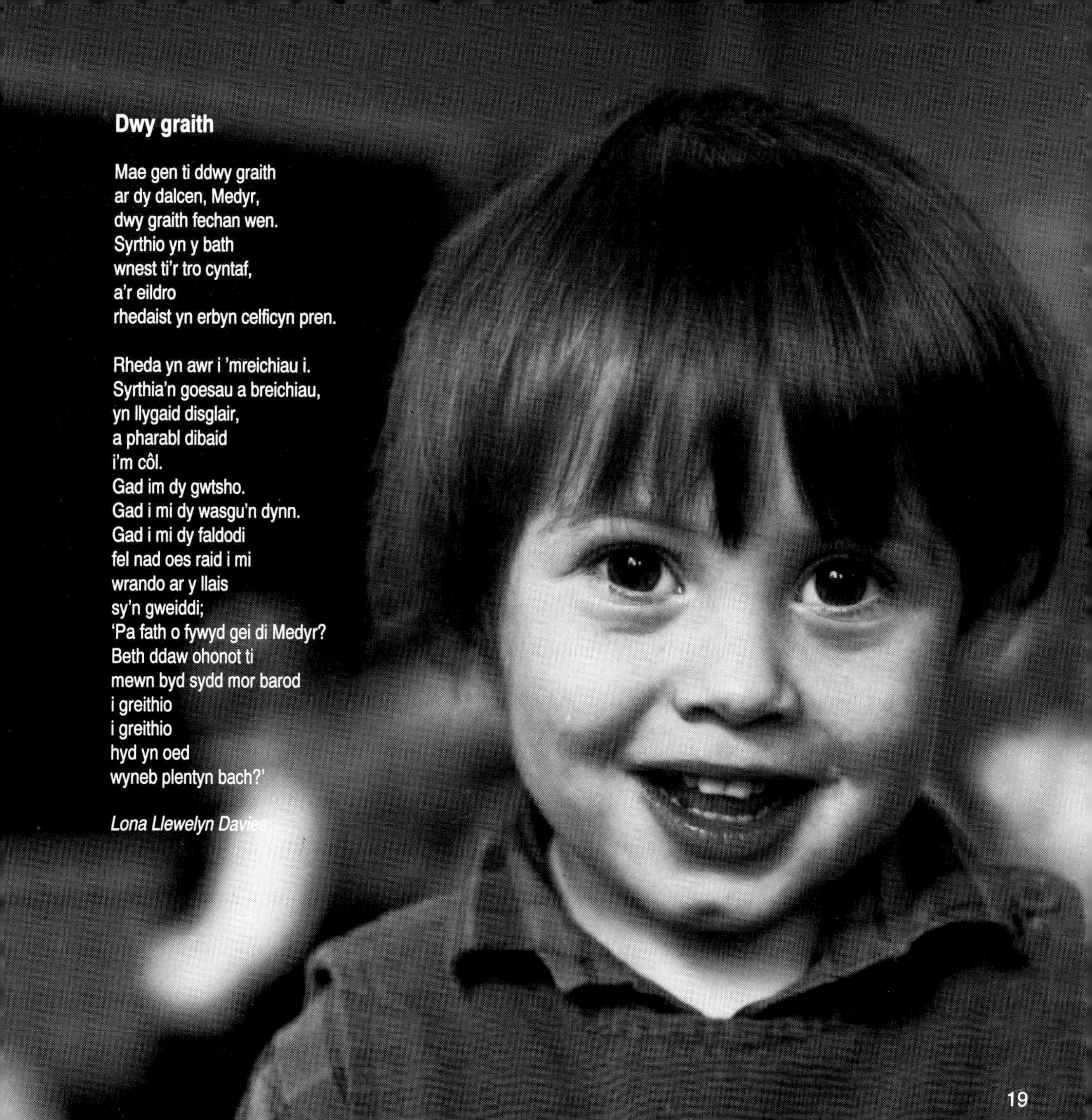

Dwy graith

Mae gen ti ddwy graith
ar dy dalcen, Medyr,
dwy graith fechan wen.
Syrthio yn y bath
wnest ti'r tro cyntaf,
a'r eildro
rhedaist yn erbyn celficyn pren.

Rheda yn awr i 'mreichiau i.
Syrthia'n goesau a breichiau,
yn llygaid disglair,
a pharabl dibaid
i'm côl.
Gad im dy gwtsho.
Gad i mi dy wasgu'n dynn.
Gad i mi dy faldodi
fel nad oes raid i mi
wrando ar y llais
sy'n gweiddi;
'Pa fath o fywyd gei di Medyr?
Beth ddaw ohonot ti
mewn byd sydd mor barod
i greithio
i greithio
hyd yn oed
wyneb plentyn bach?'

Lona Llewelyn Davies

Rosi, dyna pam:

Rosi, rydw i'n farchog yn carlamu
I ffwrdd
I chwilio am anturiaethau newydd.
A ti yw'r dywysoges sy'n gollwng
  Ei gwallt
  I lawr
O dŵr uchaf Castell y Brenin Du.
  Rwy'n ymladd y gelyn
Ac wrth imi dy gyrraedd
  Rwyt ti'n troi yn froga . . .

Rosi, rydw i'n astronôt
Yn fflamdanio mewn tunnell o fwg
Fry uwchben Cape Caernarfon,
Yn rhuthro ar daith genhadol
I'r sêr.
A ti yw'r lloer mwyn sy'n fy nisgwyl
Tu draw i'r byd.
Rwy'n concro'r planedau i gyd,
Ac yn dofi'r gofod,
Ac wrth imi dy gyrraedd
Rwyt ti'n troi yn ddarn o gaws . . .

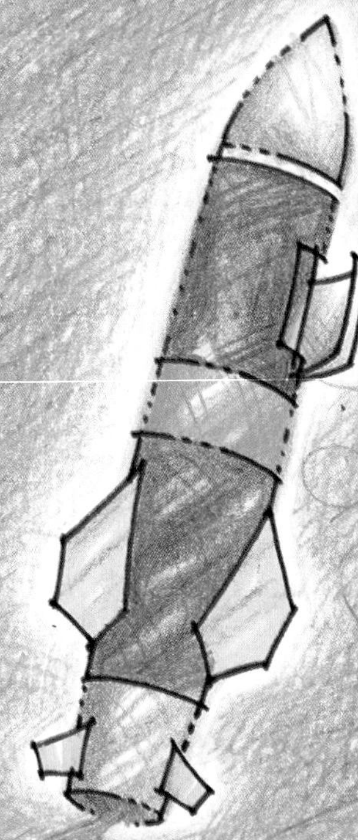

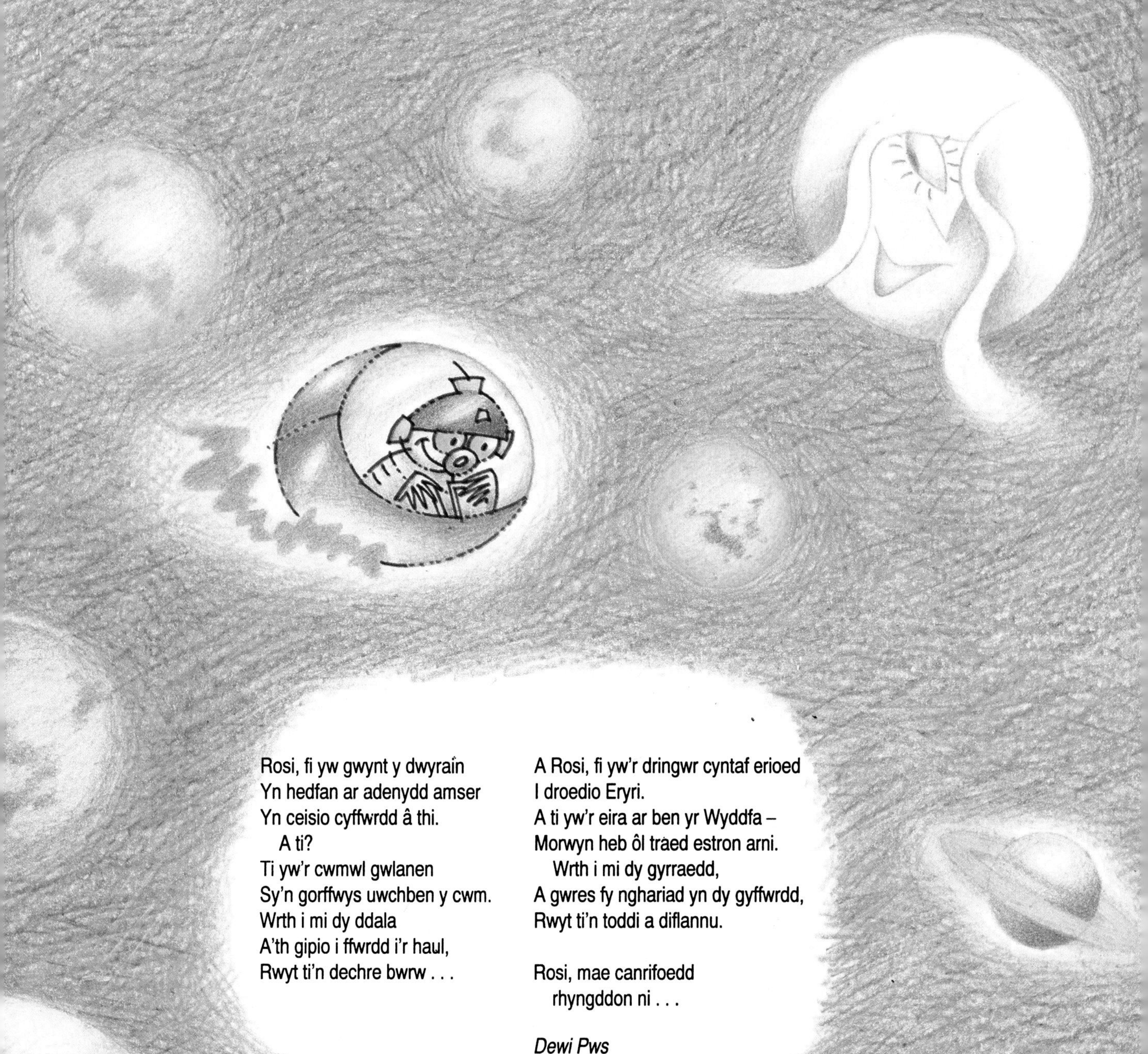

Rosi, fi yw gwynt y dwyrain
Yn hedfan ar adenydd amser
Yn ceisio cyffwrdd â thi.
  A ti?
Ti yw'r cwmwl gwlanen
Sy'n gorffwys uwchben y cwm.
Wrth i mi dy ddala
A'th gipio i ffwrdd i'r haul,
Rwyt ti'n dechre bwrw . . .

A Rosi, fi yw'r dringwr cyntaf erioed
I droedio Eryri.
A ti yw'r eira ar ben yr Wyddfa –
Morwyn heb ôl traed estron arni.
  Wrth i mi dy gyrraedd,
A gwres fy nghariad yn dy gyffwrdd,
Rwyt ti'n toddi a diflannu.

Rosi, mae canrifoedd
  rhyngddon ni . . .

Dewi Pws

Delyth (fy merch) yn ddeunaw oed

Deunaw oed yn ei hyder, – deunaw oed
Yn ei holl ysblander,
Dy ddeunaw oed boed yn bêr,
Yn baradwys ddibryder.

Deunaw – y marc dewinol, – dod i oed
Y dyheu tragwyddol,
Deunaw oed, y deniadol,
Deunaw oed nad yw'n dod 'nôl.

Deunaw oed, – dyna adeg, – deunaw oed
Ni wêl ond yr anrheg,
Deunaw oed dy i'engoed teg,
Deunaw oed yn ehedeg.

Echdoe'n faban ein hanwes, – ymhen dim
Yn damaid o lances,
Yna'r aeth y dyddiau'n rhes,
Ddoe'n ddeunaw, heddiw'n ddynes.

Deunaw oed yw ein hedyn, – deunaw oed
Gado nyth y 'deryn,
Deunaw oed yn mynd yn hŷn,
Deunaw oed yn iau wedyn.

Deunaw oed ein cariad ni, – deunaw oed
Ein hir ddisgwyl wrthi,
Deunaw oed yn dynodi
Deunaw oed fy henoed i.

Dic Jones

y wers

roeddwn i,
roedd hi
ac roeddem ni –
dyna'r amser amherffaith.

mi rydw i,
rwyt ti
ac rydan ni –
amser presennol ydi hwn,
sy'n mynegi'r modd perffaith.

Steve Eaves

Awdl foliant merch ein hamserau

(Detholiad)

Fel pren afalau ymysg prennau'r goedwig . . .

Pan oedd y wendon yn ei dicllonnedd
Clywais d'arogl yn arogl cyfaredd,
Hwyliais i fae gorfoledd – dy galon
A chael Afallon a chlo fy allwedd.

Brwydyr yr ieuanc fu'n berwi drwof
Hyd oni theimlais dy dresi drosof,
Aeth ymryson ohonof, – daeth suon
Adar Rhiannon i drydar ynof.

Wyt Dref Wen ein hil. Wyt dirf anialwch,
Hyder y galon lle bu dirgelwch.
Wyt alaw mewn tawelwch. – Wyt weithiau'n
Cynnau canhwyllau yn fy nhywyllwch.

Wyt had fy mharhad. Wyt dwf fy mhryder.
Wyt wawn. Wyt wenau. Wyt wanwyn tyner,
Y blaendwf a'i ysblander – ac weithiau'n
Ewin o olau mewn byd ysgeler.

Weithiau, am ennyd, yng nghampwaith Monet,
Ti yw yr eiliad sy'n mentro i rywle
Ar wyneb aur ein bore, – ond wastad
Mewn gwlad tan leuad, wyt win Beaujolais.

Wyt wawl fy mawl. Wyt win St.Emilion.
Wyt ffiol risial i ddagrau calon.
Wyt win cyfriniol y fron. – I'm gwefus
Wyt lafoer melys, wyt liw fermilion!

Mae fy nghân ifanc, mae fy nghynefin
Ynot a rhythm borewynt drwy'r eithin,
Wyt gyffro Giro mewn jins – sy'n datod.
I 'mwa hynod wyt ffidil Menuhin.

Lleuad y nos a fu'n tywallt drosot
A'i rhaeadr ieuanc o gytser drwot,
Minnau yn fflam ohonot, – Erin f'oes;
Rhannaf fy einioes, serennaf ynot.

Robin Llwyd ab Owain

Dyhead

Cerdded i lawr y coridor
yn ysu am afael yn ei llaw.
Chwerthiniad bach ysgafn,
a gwên swil
wrth ymadael.
Pe cawn ei chofleidio,
ei dal yn dynn,
teimlo cynhesrwydd ei chorff
yn agos ataf!

Gwahanu –
heb ddangos dim o'r cyffro mewnol,
rhag lladd, cyn geni,
egin gwyrdd cariad rhyngom.
Cwyd atgof chwerw'r gorffennol
y mur rhag-ofn.

Cadw draw,
heb wthio gormod –
hwyrach mai rhith yw'r cyfan.
Feiddia i ddim edrych
ym myw ei llygaid
am ateb i'r gyfrinach.

Edrych arni ennyd –
y wên fach eto.
Mae'r gloch yn mynd,
y dydd ar ben.
'Hwyl am nawr 'te.'
'Hwyl.'

Iwan Morris

Cariad

Mae datganiad o gariad
yn debyg i gar
a ball gychwyn.
Ond unwaith yr â'r
cog cyntaf
i'w le
gall rhywun yrru am byth.
Nes bo'r petrol
    yn rhedeg
mas.

Cris Dafis

Pellhau

Erbyn hyn
mae'n bántomeim dy weld ar y stryd.
Greddf yn f'annog i dorri gair.
Arferiad yn fy hudo i gyffwrdd.
Ond plismon o reswm yn dweud y drefn.
Yngan y cyfarchiad swyddogol
a stumio'r wên blastig.
Ac yna ffurfioldeb
cynamserol y pellhau:
gorfod cefnu dan faglu
er mwyn cael cyrraedd
yr act nesaf.

Neu fel dau
yn taro ar ei gilydd
ynghanol tyrfa pêl-droed
ond cerrynt y dorf
yn eu hynysu,
eu hysgaru
cyn cael dweud dim o bwys,
a'r geiriau yn dalpiau
yn rhewgell y cof.

Pellhau heb oedi
i ymddiddori neu ymhelaethu.

Pellhau
am na chefnogwn mwyach
yr un tîm.

Gerwyn Wiliams

Siom

Pluen eira cariad
Yn disgyn yn dawel
A gorffwys
Ar gwarel fy nghalon.
Ffoli ar harddwch
Cynllun perffeithrwydd,
A theimlo rhyfeddod
Y we wen
Yn fy nenu.

Estyn yn frwd
I gyffwrdd â'r glendid,
Estyn i'w ddal
Ar gledr fy nghof,
I'w gadw
Gyda mi . . .
Gafael,
A theimlo'r delfryd brau
Yn toddi'n ddeigryn.

Menna Thomas

Fe hoffwn blethu 'mreichiau

Fe hoffwn blethu 'mreichiau
o'th gwmpas, plethu'n dynn,
nes bod y patrwm rhyngom
yn gwlwm cariad prin.

Ond er i'm blethu 'mreichiau
o'th gwmpas, plethu'n dynn,
fel gwyfyn rwyt rhwng bysedd –
troi'n llwch ac yna'n ddim.

Angharad Jones

Chwalu

Sut alla'-i?
Pan yw'r lanhawraig o haul
yn gwthio'i phenelinoedd
ar ôl cael jangl gyda'r lloer
yn ddiwahoddiad rhwng y llenni?
Pan yw caneuon serch
diplomataidd neithiwr
yn ymgasglu'n geg i gyd
er mwyn cael tystio
ger mainc y stereo?
Pan yw cydynnau dy wallt
hyd yn oed
yn mynnu glynu'n gyfeillion
rhwng dannedd fy nghrib,
yn selog hyd y diwedd?
Yng ngwrid y bore straellyd,
sut alla'-i'n farnwrol
gyhoeddi
fod y cyfan,
fy nghariad,
ar ben?

Gerwyn Wiliams

Wennol fach

Wennol fach sydd yn ffarwelio
Mynd ar aden isel heibio,
A than ewin gwan o leuad
Mynd a wnaeth fy annwyl gariad.

Fe ddaw'r wennol yma eto
Nôl i'w nyth o dan y bondo,
A bydd rhes o bigau'n llydan,
Minnau yma wrthyf f'hunan.

Dysgu'r cywion sut i hedfan
Dros y cefnfor gloyw, arian –
Fe ddaw dydd eu llon ddychwelyd,
Ond ni welaf byth f'anwylyd.

Nesta Wyn Jones

Mi fûm yn caru 'nghariad
   Am ddeuddeng mis ac un,
Gan feddwl yn fy nghalon
   Fy mod i'n eithaf un;
Yn lodes heini lawen
   Yn tyfu 'ngardd y byd, –
Nid oeddwn yn y diwedd
   Ond brechdan i aros pryd.

Hen bennill

Hen stori

Fe wyddwn i dy fwriad
Wrth iti godi'th ben,
Roedd cwestiwn ar dy wefus
A chusan yn dy drem.

Roedd cryndod yn dy anadl
Wrth estyn dy ddwy law,
Fe'm daliwyd i yn rhwydau
Sidan llosg ganhwyllau
Dy lygaid di, a'm denai,
Ni allwn edrych draw . . .

Roedd angerdd ar dy ddwyfin
A bywyd yn dy drem,
– Fe wyddwn i dy feddwl, boi,
Pan godaist ti dy ben!

Nesta Wyn Jones

Yr wylan

Yr wylan deg ar lanw, dioer
Unlliw ag eiry neu wenlloer,
Dilwch yw dy degwch di,

Darn fel haul, dyrnfol heli,
Ysgafn ar don eigion wyd,
Esgudfalch edn bysgodfwyd.
Yngo'r aud wrth yr angor
Lawlaw â mi, lili môr.
Llythr unwaith llathr ei annwyd,
Lleian ym mrig llanw môr wyd.

Cyweirglod bun, câi'r glod bell,
Cyrch ystum caer a chastell.
Edrych a welych, wylan,
Eigr o liw ar y gael lân.
Dywed fy ngeiriau duun.
Dewised fi dos at fun.
Byddai'i hun, beiddia'i hannerch,
Bydd fedrus wrth foethus ferch
Er budd; dywed na byddaf,
Fwynwas coeth, fyw onis caf.

Ei charu'r wyf, gwbl nwyf nawdd,
Och wŷr, erioed ni charawdd
Na Myrddin wenieithfin iach,
Na Thaliesin ei thlysach.
Siprys dyn giprys dan gopr,
Rhagorbryd rhy gyweirbropr.

Och wylan, o chai weled
Grudd y ddyn lanaf o Gred,
Oni chaf fwynaf annerch,
Fy nihenydd fydd y ferch.

Dafydd ap Gwilym

Alun

Mae clywed dy lais ar y ffôn
fel cynnau fflam dan sosbenaid
o laeth marw, oer.
Tasgodd fflam dy lais dros y gwifrau
i lyfu gwaelod llyfn fy
sosban o enaid,
a'i llond o emosiwn gwlyb, trwchus, gwyn,
a'i hanwesu
a'i chynhesu
nes dodwy swigod bach
sy'n llawn o gywion melyn,
pigog atgofion.
Ac mae dy eiriau fel burum mewn toes,
fel codwr pwysau chwyslyd, cryf
yn gwthio, nes iddo orlifo'n
ddagrau chwilboeth, cras
a'm creithio'n dalp crawnllyd, coch
o dristwch.

Am eiliad,
unwyd ni.
Am eiliad wifrenog,
blastig, fecanyddol
bu'r ddau yn un.
Ond daw'r Pellter â'i fwyell
fileinig, finiog
i dorri'r cwlwm,
a'n gwthio unwaith eto
ar wahân.

Ac wedi'r eiliad,
wedi'r uniad,
nid oes dim yn aros,
dim ond sosbenaid llosgedig
o ddiflastod drewllyd,
du.

Lona Llewelyn Davies

Brodwaith

Fe blethaist ti i'm gwallt
edafedd liwiau'r enfys,
â'th fysedd yn chwim
yn llunio
cymhlethdodau cywrain cariad,
cyn clymu pen bob plethen
mor dynn â defod ein serch.

Ond rhaffu celwyddau 'rwyt ti'n awr,
ac mae tyndra cain y ffurfiau
yn llacio,
llwybrau labyrinthau
goslef a gweithred
yn unioni eto,
a phlethiad y galon
yn datod
fel plethiad y dyddiau
pan oeddem
un.

Elin ap Hywel

Eirlysiau

Pistyll gwyn
yn diferu yn fud
i lawr y clawdd.

Ac ewyn ei eira
yn nodio'n dawel.

Mae broc
hen ddail
a brigau pydredd
yn nhrobwll y ffos
oddi tano,

ond ar wyneb y clawdd
nid oes
ond purdeb
dyfroedd eirlysiau
yn tarddu
fel ffynnon y gwanwyn yn codi,
yn goferu,
a'i swigod yn bobian,
yn hollti daear y gaeaf
gyda'i bwrlwm byw.

Einir Jones

Glöynnod byw

Dawnswyr swil yn eiddilwch – eu rhamant
   Flodeuant o'r düwch;
Yn wyrthiol eu prydferthwch
Nid yw eu lliw'n ddim ond llwch.

Ieuan Wyn

Y llwynog

Ganllath o gopa'r mynydd, pan oedd clych
   Eglwysi'r llethrau'n gwahodd tua'r llan,
Ac anhreuliedig haul Gorffennaf gwych
   Yn gwahodd tua'r mynydd, – yn y fan,
Ar ddiarwybod droed a distaw duth,
   Llwybreiddiodd ei ryfeddod prin o'n blaen;
Ninnau heb ysgog a heb ynom chwyth
   Barlyswyd ennyd; megis trindod faen
Y safem, pan ar ganol diofal gam
   Syfrdan y safodd yntau, ac uwchlaw
Ei untroed oediog dwy sefydlog fflam
   Ei lygaid arnom. Yna heb frys na braw
Llithrodd ei flewyn cringoch dros y grib;
   Digwyddodd, darfu, megis seren wib.

R.Williams Parry

Glöyn

Wrth wthio aer i'r teiars
ar goncrid poeth y garej yn y dre,
sylwi ar liwiau mwyn
glöyn byw
yn farw
ar y tarmac du,
y greadigaeth brydferth yn ddi-nam
yn awr ei thranc.

Wrth y pympiau petrol
a'r chwythwr aer,
rhoi o ferch fach dyner
ei llaw yn grud
i'r glöyn marw
a'i hebrwng at y car,
gan hyderu credu ei fod yn fyw.

Awel sydyn drwy'r ffenestri agored
yn peri cyffro
mewn adenydd brau
brown a gwyn.
A'r farddones yn dweud,
'On'd yw e'n bert?
Mae e fel defnydd.
Gofala' i amdano nes bydd e'n well.'

A dal i lochesu'r gwibiwr gwyw
drwy'r prynhawn,
gan lwyr ddisgwyl ei ganfod yn esgyn cyn hir
i chwarae yn llawen
ar siglen y gwynt.

Cyrraedd adre,
a'r enethig yn gosod ei defnydd drud
yn dirion
ar fwrdd y modurdy
yng ngolau heulwen haf,
gan ddatgan o ddwyster calon
fod angen milfeddyg
ar y bychan claf.

Gilbert Ruddock

Fe wyliaf alarch

Fe wyliaf alarch
yn llithro heibio i'w hynt,
heibio fel atgofion
o ddydd a aeth
ymhell i'r anwybod mawr.

Fe wyliaf alarch
oediog ei daith
yn aredig y dŵr:
ei wddf hir yn gleddyf hardd
a'r llafn yn blingo'r llyn.

Fe wyliaf alarch
yn fflach pelydrau
mewn gwydrau gwin,
yn dincial grisialaidd.

Fe wyliaf alarch
yn egino,
blodeuo,
o'r dŵr,
a'i fwnwgl
a dyf, ennyd,
o'r llyn yn blanhigyn hardd.

Fe wyliaf alarch
yn hwylio heibio yn bwyllog ei lun,
fel pibell glai
yn segur chwythu swigod
o dawch uwch y dŵr.

Fe wyliaf alarch
yn llithro heibio i'w hynt
yn araf fel yr oriau
prin eu parhad,
heibio heb inni wybod
eu bod yn dirwyn i ben.

Alan Llwyd

Bwystoriäu

Y am yr Yeti, dirgelwch yr oesau,
W am yr Wyfern, y ddraig heb goesau,

U am yr Uncorn unigryw ac unig,
Th am y Theilasîn mor brin a thrybeilig,

T yw y Twrch Trwyth trystfawr i'w hela,
S sydd am Sascwatsh sy'n byw yn yr eira,

Rh yw y Rheibes y Rheibiwr a rhoch,
R am y Rwdra, baedd sanctaidd a choch,

Ph am y Phantom, drychiolaeth arswydus,
P am y Pwca, yr ellyll direidus,

O am Ogo-Pogo, creadur lledrithiol,
N sydd am Nessie, neidraidd newidiol,

M am y Môr-ddyn a'r moroedd ei annedd,
Ll am y Llarpiwr, pigog ei ddannedd,

L am Lefiathan, anghenfil tanforol,
I am yr Idoc, aderyn dychmygol,

H am yr Hipogriff sy'n griffon a march,
Ng fel yng Ngwbiwe, sy'n llercian mewn arch,

G am y Griffon, corff llew a phen eryr,
Ff am y Ffenics a gâr tân ac awyr,

F ydyw'r Fachan, unllygeidiog rith,
E yw'r Empiwsa, un o epil Lilith,

Dd am y Ddraig sy'n llosgi'r holl gestyll,
D am y Drewgi sy'n ffiaidd a thywyll,

Ch yw'r Chimaera, dychrynllyd a chennog,
C am y Cewri sy'n anferth a blewog,

B yw'r Basilisc mor seimllyd ei groen,
A am Amphisbaen sy'n danllyd ei ffroen.

Mihangel Morgan

Meirch Llangyfelach

Gerllaw addoldy'r Drindod
porant, rhwng hesg, ynghyd,
fel pe ar bererindod
defodol rhwng dau fyd,
heb hidio'r draffordd dan y tŵr
na rhusio dim, er ei hystŵr.

Wrth gyrchu heibio i greiriau'r
seintiau, di-frys eu hynt,
a phorant lle bu'r ffeiriau
yn Llangyfelach gynt,
heb wisgo rhwng yr hesg a'r brwyn
na rhaff ar war na thyndra ffrwyn.

Mor stond ym mrys a dwndwr
y draffordd ddiymdroi,
nad yw ei sŵn na'i ffwndwr
na'i ffrwst yn eu cyffroi,
yw'r meirch diysgog rhwng dwy oes
gorffwylltra'r ffordd, gwareidd-dra'r Groes.

Trônt tua'u rhawd dan ddeilwaith
derw'u cynefin dir;
pystylad heb hast eilwaith
ar eu gorymdaith hir,
a thramwy ymaith gyda'r hwyr,
a'r haenau gwaed uwch Penrhyn Gŵyr.

Alan Llwyd

Croesi mynydd
(sef y Mynydd Du, Dyfed)

Yn y bore briw,
rhwng Pen Rhiw Ddu a Phen Rhiw Wen,
Yn y llwydni llaeth,
roedd merlod y Mynydd Du
yn pori'r niwl
yng ngolau'r car.

Argraffluniau,
awgrymiadau oeddent,
mor annelwig ag eidiolegau coll,
neu amlinelliadau hen gredoau,
efallai,

yn hanner bod
rhwng min yr hewl a'r mawn.

Roedd tair ohonynt;
un mor anneongl â'n nod,
un arall mor ansicr â'n bod,
a'r llall,
wel,
cryndod ein Cymreictod,
siwr o fod.

* * *

Fel olew dan olwynion,
rhithiau eu lliwiau yr awrhon.

Yn nhroad aruthr y rhod
ai meirw ydyw'r merlod?

Bryan Martin Davies

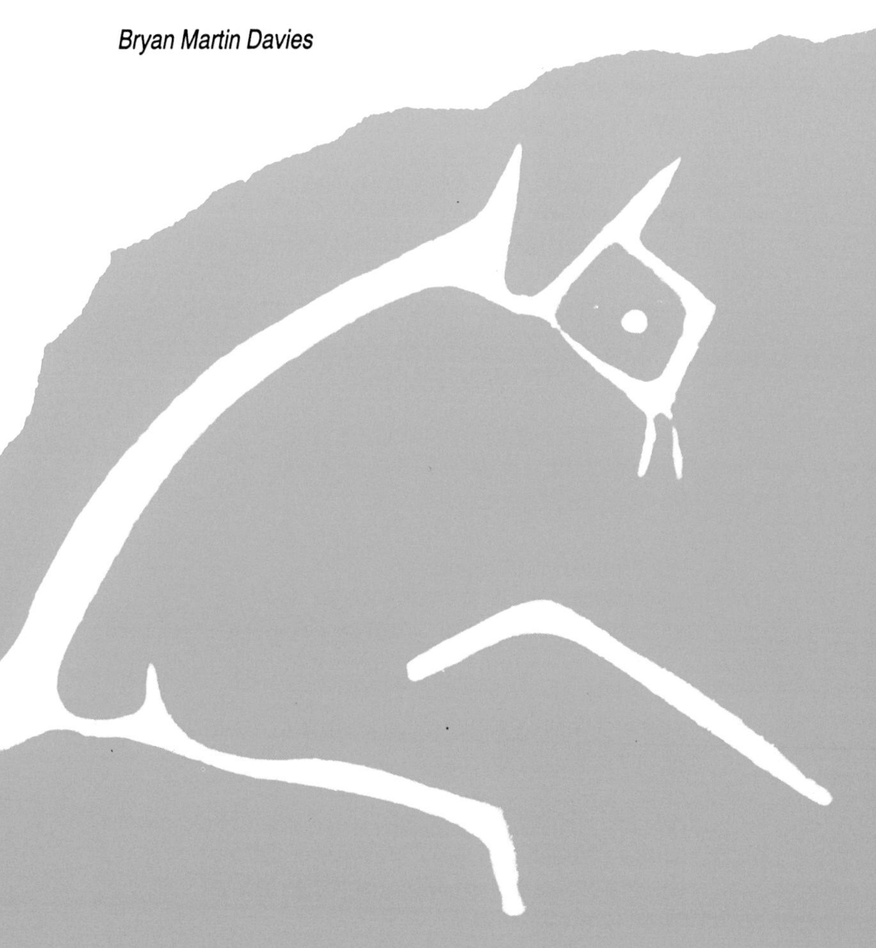

Merlod mewn storm

'Roedd gwynt mis Mawrth yn arthio yn y llarwydd lloerig,
ac yn rhuo ym mrigau anghymen y dderwen gynddeiriog,
gwynt ysgarlad yn hyrddio ac yn tasgu'i eirlaw

dros bobman, a'r dderwen yn griddfan wrth ymadael â'i gwraidd,
yntau'r gwynt yn ysgeintio'i eirlaw dros y tirlun llwm
gan fwrw'r coed gwern â'i gernod, a thaflu'r gwylanod yn glowt;

y pyllau'n chwipio allan ohonynt eu hunain,
straen ar y ffenestr, a'i haenau
o wydr crynedig yn ysgwyd yn y gwynt anwadal.

Ac yna'u canfod, merlod ar y comin moel
yn erlid ei gilydd, a'r eirlaw
yn sbarduno'u hofn, yn eu gyrru ar ddisberod yn wyllt;

merlod, â'u llygaid yn wenfflam, ar garlam rhag eirlaw
a chesair Mawrth, a diferion eu chwys ar eu mwng,
merlod yn ymorol am gysgod rhag yr eirlaw a'r gwynt;

merlod ar y comin moel am eiliad neu ddwy,
neu efallai dair, a phob un yn daranfollt wen
yn dianc rhag y gwynt anystywallt;

merlod mewn storm o eirlaw
yn gweflu eu hofn, ac ar draws yr olygfa lwyd
yn rhuthro am eiliad, eiliad cyn diflannu o'r golwg

drwy byllau dŵr y comin draw i bellteroedd
y gorwel annelwig, a'r ferlen olaf ohonynt
yn fflachio'n wyn wrth i'r gwynt yrru'i stwffwl i'w chnawd.

Nid oedd ond rhith eiliad, ymddangosiad y merlod yng nghesair
ac eirlaw Mawrth, cyn cyrchu am y gorwel, ymhell,
ond mae'r eiliad yn aros, eiliad y merlod yn oerwynt
Mawrth ar y comin moel.

Alan Llwyd.

Cenedl

Un cof a roed i'n gofal, — ac un graig
I'n gwrogaeth ddyfal;
Un hanes yn ein cynnal.
Un darn o dir yn ein dal.

Ieuan Wyn

Hedydd yn yr haul (Detholiad)

Llyfr Hanes

A Duw yn y dyddiau hynny a greodd rywbeth
Amgenach nag ymlusgiaid y ddaear,
Gwyrth fwy nag electron,
Fwy cymhleth na'r natur ddynol,
Rhyfeddod mwy lliwgar na'r enfys,
Mwy annatod nag atom.

Fe greodd Duw fap,
Ac arno 'roedd smotyn,
ond 'roedd o'n smotyn
Â siâp iddo,
Siâp fel hen ddynes
Yn pwyntio at lesni'r môr,
At bysgod
Ac at Iwerddon:

Hen ddynes,
Hen wraig,
Hen wrach,
Hen ferch –
Dewiswch fel y mynnoch.

Ond Duw a gymerth y smotyn
Yn annwyl i wres bythol ei galon,
Ac fe lanwodd y smotyn
Â thrugaredd
Ac etifeddiaeth
A hanes,
A'i lapio yn dyner mewn deigryn
Fel bod 'och' ymhob calon;

Yn y smotyn hwn, meddai Duw
Bydd pob calon yn gignoeth.

Fe gânt eiriau fel
Hiraeth a
Gofid a
Galar.

Fe gânt hanes
Llawn gormes a brad a gwaradwydd:

Fe gânt iaith
A fydd ar drengi'n dragywydd
Ac enaid
A fydd yn troi a throsi yn ei gwsg
Yn oes oesoedd.

Ond yma, medd Duw,
Bydd cariad yn teyrnasu;

Ac yna,
Gan redeg ei fysedd trwy'i farf yn gariadus,
Fe alwodd y smotyn yn Gymru.

Hwdiwch, meddai Duw:
Dyma'ch etifeddiaeth.

T.Glynne Davies

Etifeddiaeth

Cawsom wlad i'w chadw,
darn o dir yn dyst
ein bod wedi mynnu byw.

Cawsom genedl o genhedlaeth
i genhedlaeth, ac anadlu
ein hanes ni ein hunain.

A chawsom iaith, er na cheisiem hi,
oherwydd ei hias oedd yn y pridd eisoes
a'i grym anniddig ar y mynyddoedd.

Troesom ein tir yn simneiau tân
a phlannu coed a pheilonau cadarn
lle nad oedd llyn.
Troesom ein cenedl i genhedlu
estroniaid heb ystyr i'w hanes;
gwymon o ddynion heb ddal
tro'r trai.
A throesom iaith yr oesau
yn iaith ein cywilydd ni.

Ystyriwch; a oes dihareb
a ddwed y gwirionedd hwn:
Gwerth cynnydd yw gwarth cenedl
a'i hedd yw ei hangau hi.

Gerallt Lloyd Owen

Cilmeri

Fin nos, fan hyn
Lladdwyd Llywelyn.
Fyth nid anghofiaf hyn.

Y nant a welaf fan hyn
A welodd Llywelyn.
Camodd ar y cerrig hyn.

Fin nos, fan hyn
O'r golwg nesai'r gelyn.
Fe wnaed y cyfan fan hyn.

'Rwyf fi'n awr fan hyn
Lle bu'i wallt ar welltyn,
A dafnau o'i waed fan hyn.

Fan hyn yw ein cof ni,
Fan hyn sy'n anadl inni,
Fan hyn gynnau fu'n geni.

Gerallt Lloyd Owen

11. 12. 82

Daeth saith canrif ynghyd
yn oerfel Cilmeri,
a'r dail yn diferu atgofion:

saith canrif o sôn
am orchestion hen oesau.
a'r dydd yn gymylau gwelwon:

saith canrif o sefyll
ar erchwyn y dibyn.
a'n traed bron fferru'n eu hunfan:

saith canrif o gyfri'r
colledion yn dawel.
ac edrych i'r gorwel yn ddistaw:

aeth saith canrif yn ddistaw
ger carreg Cilmeri,
a'r awel ar rewi llif Irfon . . .

. . . yna bloeddiodd y baban
a thoddi'r gaeafddydd,
a chwalu'r distawrwydd.
a her canrif newydd yn nychryn ei waedd.

Iwan Llwyd

Neijal

(Nios fearr gaelige briste nó Bearla cliste **– Gwell Cymraeg slac na Saesneg slic)**

Paid sefyll yn rhy agos
at y dresal Neijal!
Ti'n ysgwyd y llestri gleision!
Maen nhw'n greiriau Neijal!

Hel dy facha budur
o'r *Cydymaith* Neijal!
'Dan ni'm isio hoel dy fysidd
dros y geiriau Neijal!

'O le wyt ti'n *dod*' Neijal!
Ti'n merwino fy nghlustia
hefo'r bratiaith 'na Neijal –
mae'r 'dod-o' wedi marw i *fod*, Neijal!
. . . neu wyt ti'n gwybod rhwbath dwi ddim Neijal?!
Dos allan i chwara Neijal!!

A rwan yng ngwaelod yr ardd
mae'n sefyll yno'n treiglo.
Mae'n syllu ar y rhiwbob
tra'n dysgu priod-ddulliau.
Ni bydd llwch Cymreictod yn hir ar ei droed
Er bod Neijal dim ond yn ddeuddeg oed.
Mae'n ddigon hawdd dweud . . .
ond wedyn be fedar rhywun wneud hefo hogyn fel Neijal?

Bwrwyd sawl Neijal ymaith
a'u colli yn awr ein hangen
ond gwell iddynt droi yn Saeson
na chael treisio ein cystrawen.

Ifor ap Glyn

Sandra Picton

Ei holl osgo'n ein llosgi:- canhwyllbren
Ei denim amdani,
A thân ei chenhedlaeth hi
Yw'r rhyddid sy'n wawr drwyddi.

Robin Llwyd ab Owain

George (C'mon Midffîld)

Â hyder yr amserau – dinoethaist
Ein hiaith o'i hualau:
Lleder du'n lle brethyn brau,
Denim lle bu cadwynau.

Robin Llwyd ab Owain

Cymru

Gyn ti cariad i dy heniaith?
Gyn ti sbo' meddal i dy mamiaith?
Gyn ti? Gyn ti ddim? Fi gyn!

Once, pan fi di mynd allan o fy bro,
Gofynnodd Sais i fi, 'Le ti'n dod o?'
Dyma fi yn ateb yn syth i ffwrdd
Gan roi fy cardiau ar y bwrdd –
'O Gymru, gwlad y Menyg Eifion,
Gwlad y gân, y beirdd, a'r try . . . tyner . . . harpists.'

Then, yn sydyn, yn syth allan o'r glas,
Gofynnodd y dyn i fi cwestiwn bas –
'Gaf fi cal byw mewn le mor dawnus?' ac ateb fi oedd
'Hy, dylet ti bod mor lwcus.' Dyma fi'n deud
'Ti'n siarad yn cul a peric,' a fi'n deud wedyn,
'Dylai bobl mewn glass houses dim daflu gyrrig,'
Ac off yr aeth o.

Fi yn pround o be dwi yn,
Ti yn? Ti ddim yn? Fi yn eniwe, so dder.
Yn byw a cicio mae iaith ein gwlad fy dadau,
A fy mamau, marcia di fy geiriau,
A tra bydd bwyd yn llenwi mola,
Ymladd wnaf i'r chwerw ola'.

Ma' fe ddim yn iawn i'r iaith just marw allan,
Rhaid stopio'r moch rhag mynd i'r gwinllan.
Rwan dden,
Gyn *ti* cariad i dy heniaith?
Gyn *ti* sbo' meddal i dy mamiaith?
Gyn ti?
Gyn ti ddim?
Fi'n gwybod ti gyn!

Mei Jones

Diwrnod y gêm genedlaethol

O, mae'n hawdd mwynhau heddiw,
I dir a iaith bod yn driw'n
Y môr o lais, môr o liw.

Dyro i'n tîm dy darian
A dawn fyw a gwadn fuan;
I ninnau, galonnau glân.

Rho un 'nôl i'r hen elyn,
Un trosol trwy ei rosyn
Gyda hwrdd ein pymtheg dyn.

Wlad – o, rhoesem li drosot
Ar faes, ond ni rown ni'r fôt;
Hogiau'r bêl, nid gwŷr balot.

Yno yn lle ein holl awen,
Dim ond mwnci i godi gwên
Âi gân wan a'i genhinen.

Y mae eisiau emosiwn,
Mae eisiau hwyl y maes hwn
A'n hiraeth pan na churwn,

Ond erwau y wlad eurach
Yw'n hangen, tir ehangach
Nag awr fer ar gae rhy fach.

Myrddin ap Dafydd

Yr asgellwr

(Ieuan Evans, capten tîm Cymru)

Ers oes pys, mae'n aros pêl
a'i garnau am y gornel
yn ysu, i droi'r glaswellt
yn Le Mans, yn wely mellt,
ond newynu'r dyn unig
y mae'r bois. Mae'n gêm mor bîg,
yn gig a chic uwch o hyd,
yn ddifaol, ddifywyd.

Pam anghofio'r dwylo da,
y pyliau pili-pala,
y rhedeg tri-ffês trydan
a'r ddawn gweld drwy ddynion gwan?

Hanner gêm heb unrhyw gais –
yr esgid nid y trosgais
piau hi. Yna, daw pêl . . .
daw agor â phas diogel
a daw o law i law'n lân
i'r dde, nes cyrraedd Ieuan.

Ionawr wynt a'i gyrr yntau –
mae'n troi'i ddyn, yn mynd trwy ddau,
y buan gob yn ei geirch
a'i draed o a dyrr dyweirch.
Hwylio y mae drwy le main
yn feiddgar, yn fodfeddgain
ac mae'r dyrfa'n gân, yn gôr
i rwygo un gêr rhagor
o'i gluniau a gweu'i linell
drwy bawb, fel rhaeadr o bell.

Mae'n rhydd! Un am un yw'r ras
a ddihuna'r holl ddinas,
ysgwydd wrth ysgwydd 'wasgant,
garddwrn wrth arddwrn yr ânt.
Daw milgi Llanelli'n nes,
mae'i wyneb lawn stêm mynwes,
mae'i holl einioes am groesi
a myn diawl, mae'n mynd â hi!
Mae'n creu lle, mae'n curo'r llall,
yn seren ar gais arall.

Wyt, Ieuan, eog Tywi,
wyt y llam yng ngwyllt ei lli,
ein un boi o safon byd,
ein Boeing peryg' bywyd,
ein dingo, torpido pell
a'n llwynog ger y llinell.
Wyt dyrbo ar lawnt hirbel,
wyt gais o hyd, wyt 'gazelle',
wyt sosban, wyt dân mewn tas,
wyt daran ar y teras,
wfftiwr pob taclwr wyt ti,
wyt risêt Inter-siti.

Un ei gwrs â'i asgwrn gên,
unionach na chenhinen
a'i ochr-gam ni cheir ei gwell:
yn groesgoes ger ei asgell
gedy'i ddyn o i wylio'i war.
Yn un bac sy'n ddwrn bocsar,
sy'n dwyn canllath o lathen,
y milain ŵr am lein wen.

Tyrd, ysgarled y Strade,
rho dy ddawn, Goncord y dde;
chwithau, ei dimau, rhown dân
yn ei law – rhwoch bêl i Ieuan.

Myrddin ap Dafydd

Bocswyr

Cwta bum troedfedd oedd 'nhad
pan holltai ladis bach fel dail
        yn Hafod Ŵan;
stwcyn boliog,
a baswr selog yng Nghôr Dilys Wynne,
      smociai Blayers
        i mi ga'l y cardia'.
'Ches i 'run glewtan ganddo,
ond fe gleisiwyd sawl cydwybod
gan wirionedd ergyd ei eiriau
      pan gollai'i limpyn.
A bocswyr oedd ei arwyr.
      "Glywis di am y Tylerstown Terror?
      Un eiddil oedd o, 'sdi,
      pilar byddar o gorffyn,
      un sydyn, siarp,
      a'i ordd wal o ddwrn
            yn llorio cewri.
      Glöwr,
      ac arwr y gornesta' coron
            yn ffeiria'r Rhondda.
      A phan sodrodd o'r Young Zulu Kid,
            fo oedd y Prins o' Wêls.

Ond,
daeth awr
  ei lorio yntau.
Ei lygad dde ar gau,
a'i wyneb yn waed yr ael,
Pancho Villa'n dawnsio o'i flaen
      fel silwét drwy amdo'r niwl;
dyrnod slic
dan glicied ei ên
ac ynta'n suddo
      i wely'r cynfas,
a'r sêr yn diffodd yn y gwaed,
a'r eiliadau mud
yn llithro i ffwrdd i fynwes ei nos,
      a'r niwl yn cau.
Ond,
'thaflodd o mo'r tywel i mewn unwaith.
Goeli di
i griw o hwliganiaid llwfr
ei gicio i'r llaid
yng ngwendid ei henaint
      ar orsaf Caerdydd?
Aeth ddoe yn angof iddo cyn y diwedd.
A phan alwodd y gloch ola'
ar y Mighty Atom o'i gornel,
fe bwysai lai
      na hanner sachaid o lwch glo.

Selwyn Griffith

Ryan Giggs

Yn sŵn y ffans yn y ffydd
Ym Man. U. mae un newydd
I'w addoli'n ddiflino
A chanu i'w allu o.
Ac yn llawnder y teras,
Ym merw'r hwyl mae rhyw ias
Newydd i bawb yn ddi-ball:
Y stori fod Best arall.

Ym mron y dorf mae'r hen dôn
Yn canu dros Fanceinion,
Ac afiaith tyrfa gyfan
Yn seinio 'Giggs' yn y gân.
Wrth chwarae'i gae tua'r gôl
Y mae'n ddof, y mae'n ddiafol;
A wêl wyrth ei sgiliau o,
A wêl drydan pêldroedio.

Un â'r ddawn mewn unarddeg,
Â'r diriedi i redeg
Gan wibio heibio o hyd
Yn ddewin uwch pêl ddiwyd,
Yna'i hesgyn o'r asgell
Draw i'r bocs fel neidar bell,
A phen pob amddiffynnydd
Er eu dawn yn colli'r dydd.

Agor bwlch a ffugio'r bas,
Yn beiriant creu embaras,
Yn igam-ogam ei ôl.
Yn freuddwyd, yn wefreddiol,
Mewn eiliad mae'n anelu
Ei siot, a'r gôlgeidwad sy'
Ar ei liniau'n ddagreuol
Wrth fynd drachefn i gefn gôl.

Mae ein holl wefr mewn un llanc,
Y diofid o ifanc,
Ond a fu hyd ei fywyd
Yn goch trwy'i wythiennau i gyd.
I'r chwaraewr, ei fwriad
Yw byw i'w glwb ac i'w wlad,
A rhoi'i hun yn arweinydd
I sŵn ei ffans yn y ffydd.

Tudur Dylan Jones

Gêm bêl-droed
(Wrecsam)

Fel gwaed mewn gwythiennau,
llifa'r dylif denim yn y strydoedd unffurf,
yng nghorpesylau gwyn a choch
y sgarffiau clwm a'r hetiau gwlân
i galon y dref.

Mewn hylif brwd,
arllwysant,
o'r Cefn ac Acre-fair,
o Ben-y-cae a'r Rhos,
o Frymbo a Brychtyn a Llay
i ysgyfaint y Cae Ras.

Yma, ar nos Fercher ddiferched,
mae gwaed ac anadl y parthau hyn
yn curo ac yn crynu,
yng nghrym dwyawr y corff torfol,
ac egni'r unllais croch
yn gyrru'r bêl, fel ystyr,
i rwyd y deall.

Ac wedi'r gêm,
y troi i'r nos;
fel gwaed mewn gwythiennau,
llifa'r dylif denim yn y strydoedd unffurf,
o galon y dref,
o ysgyfaint y Cae Ras,
i bellafion y fro.

Ac wedi nerth y perthyn,
Wrecsam Rule, O.K.?

Bryan Martin Davies

Agro

Wrexham agro,
gorthrwm,
trwm iawn, very heavy
our boots, our byd.

gorthrwm yn magu gorthrwm,
gwadnau lleder cenedlaethau
o ddiaconiaid a landlordiaid
yn magu'r genhedlaeth hon
o wadnau trymion y traed ifainc;
gwadnau gonest sy'n mynnu gwaed,

eich palmentydd concrid chi
yw cynfas ein cynddaredd ni,

smotiau gwaed
o Groglith
gwareiddiad.

Siôn Eirian

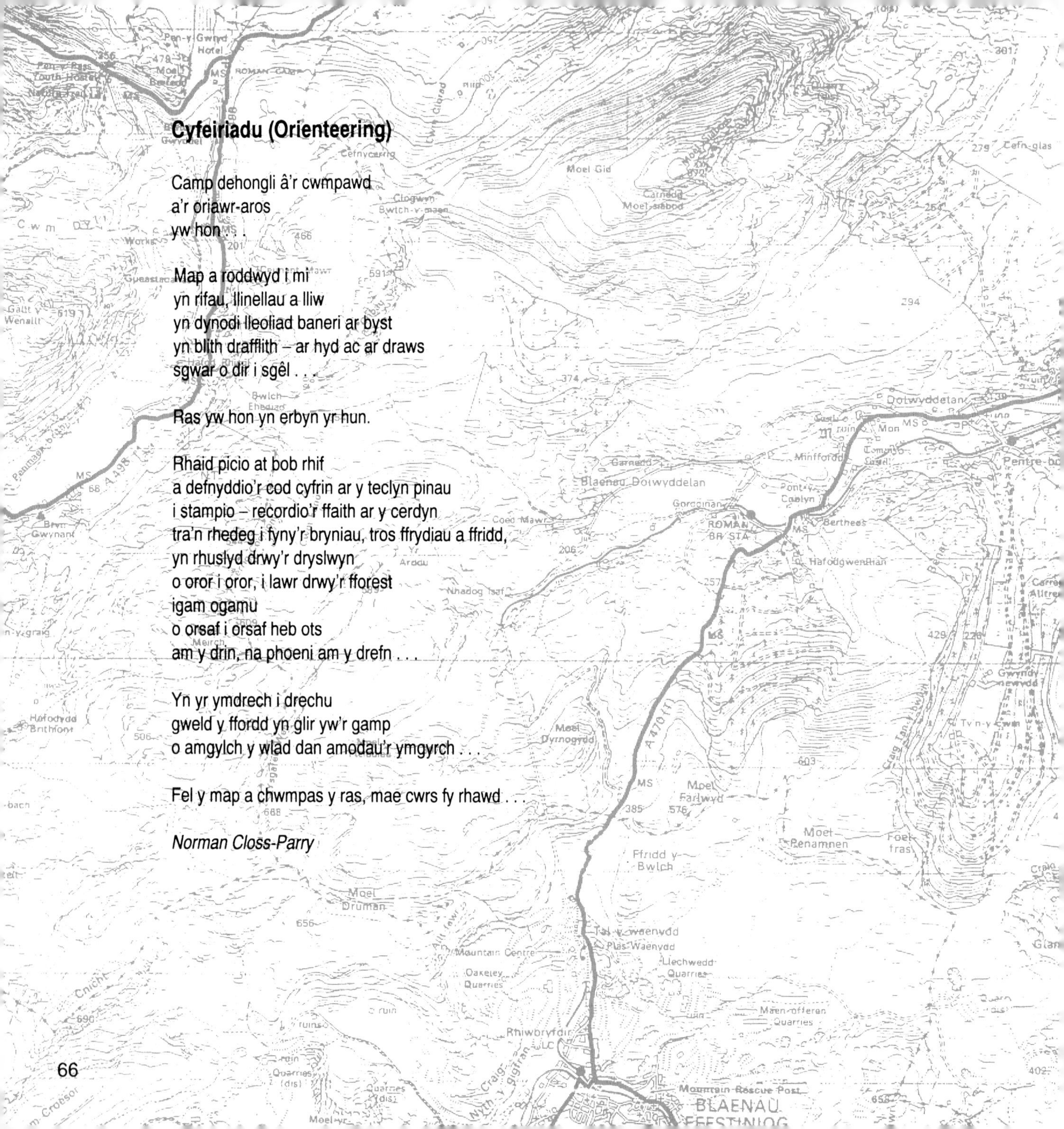

Cyfeiriadu (Orienteering)

Camp dehongli â'r cwmpawd
a'r oriawr-aros
yw hon . . .

Map a roddwyd i mi
yn rifau, llinellau a lliw
yn dynodi lleoliad baneri ar byst
yn blith drafflith – ar hyd ac ar draws
sgwar o dir i sgêl . . .

Ras yw hon yn erbyn yr hun.

Rhaid picio at bob rhif
a defnyddio'r cod cyfrin ar y teclyn pinau
i stampio – recordio'r ffaith ar y cerdyn
tra'n rhedeg i fyny'r bryniau, tros ffrydiau a ffridd,
yn rhuslyd drwy'r dryslwyn
o oror i oror, i lawr drwy'r fforest
igam ogamu
o orsaf i orsaf heb ots
am y drin, na phoeni am y drefn . . .

Yn yr ymdrech i drechu
gweld y ffordd yn glir yw'r gamp
o amgylch y wlad dan amodau'r ymgyrch . . .

Fel y map a chwmpas y ras, mae cwrs fy rhawd . . .

Norman Closs-Parry

Karioci

Mwy o frân na soprano yw Olaf,
  llais salaf côr Seilo,
Ond er hyn, pan ddaw ei dro,
dyma'i jans i Dom Jônsio.

Ifor ap Glyn

Sglefrfyrddio

Breuddwydion ar gefn sglefrfwrdd,
dyheadau'n rhydd yno
am gasglu pres
a mynd i rywle ddigon pell.
Rhaid dal i symud.

Gofidiau ar gefn sglefrfwrdd,
cadw'r ddelwedd, bod yn ifanc
dal efo criw y parc
a gosod rhwystrau yno
y gellir sglefrfyrddio
heibio iddynt,
nid fel bywyd.

Atgofion a rhwystredigaeth
yn cael lle bach ar gefn sglefrfwrdd.
Cofio am y gwaith dros dro yn Llundain
yn dosbarthu parseli ar y beic,
cyn i rywun ddwyn y beic.
Ac rwan rwyt ti'n ôl
yn nhlodi storm sy'n hel yng nghefn gwlad.
Am faint yn hwy elli di sglefrfyrddio
i'th ddyfodol?

Aled Lewis Evans

Gwawr

(Detholiad)

Pan fyddo'r môr yn trymhau,
a helynt yn gymylau,
rhyw ynys o wirioni
yw mainc 'Yr Albert' i mi;
yn nwfn nos fy hafan yw,
o'r brad fy harbwr ydyw.

Y mae o hyd yma awr
o wanwyn yn heth Ionawr.
Hwn yw lle'r torchi llawes,
a'r tŷ haf lle nad yw'r tes
yn machlud – gwynfyd go iawn!
Arlwy, a'i bwrdd yn orlawn.

Heno, a'r criw'n ymgynnull
i rannu gwefr yn y gwyll,
nid o'r grât y neidiai'r gwres,
nac o ynni du'r *Guinness;*
ond fflamau yw ffrindiau ffraeth
yn odli â'u cenhedlaeth.

Wrth i'r sôn gwirion ein gwau
yn domen o ystumiau,
aelwyd heb wg oedolyn,
Nirfana'n wir yw fan hyn;
ninnau yn gampau i gyd,
yn Fehefin o fywyd.

O'r llwyfan yn taranu,
hyder llanc sy'n codi'r llu.
Yma'n ei hwyl yn mwynhau
yn gyhyrog ei eiriau,
llais ynghlwm â bwrlwm byw,
dyfodol ar dwf ydyw:
cennad iaith yn cynnau'i do,
a bardd sydd heb ei urddo.

Ym mloedd wresog yr hogyn,
Anhrefn yw'r drefn, ond er hyn
un sgrech dros ein gwlad fechan,
un iaith, un gobaith yw'r gân:
galwad i'r gad ym mhob gair,
heddiw ym mhob ansoddair.
Idiomau fel dyrnau'n dynn
a her ym mhob cyhyryn.

I nodau'r band, â'r bywhau
yn wyneb i'n calonnau,
er hwyl ymrown i rowlio'n
breichiau fel melinau Môn,
yna dawns, fel ebol dall
yn dynwared un arall.

Heno, er nad ŷm ninnau'n
hanner call am amser cau,
nid yr êl o'r poteli
yw nawdd ein doniolwch ni;
daw'n cyffur o fragdy'r fron:
alcoholiaid hwyl calon!

O na allwn droi'r allwedd – neu gau bollt
rhag y byd a'i bwylledd,
a chael o hyd yn wych wledd,
einioes o afradlonedd!

Yma'n goelcerth o chwerthin,
a'n gwenau fel hafau'r hin,
mae eto wawr, mae to iau
yn wlad o oleuadau,
a thrwy darth yr oriau du
ein heniaith sy'n tywynnu.

Yn aceri ein cariad
yn pori iaith ein parhad,
un nos oer sy'n fis o ha',
a'i thorf yn boeth o eirfa:
yn Gymraeg mae'i morio hi,
yn Gymraeg y mae rhegi.

Meirion McIntyre Hughes

Tyrd

Tyrd, anghofiwn y cyfan,
a gwelwn ogoniant ein gwinllan
yn y pethau bychain.

Awn yn droednoeth i ffrwd yr Hafod
lle mae'r brithyll yn gwingo dan y cerrig
a'r gwybed yn seiadu yn y coed.

Gwyliwn y bwrlwm du yn Nhrobwll y Widdan,
ac arogleuwn y gwŷdd gyda'r hwyr.

Awn i Foel Fadian ganol haf
lle mae'r llwyni llus yn llwythog;
neb ond y ni a'r haul a'r ehedydd.

Drachtiwn o risial y ffynnon hud yn y Garth
lle trigai'r broga.

A rhedwn at dywod Dyfi dan Bont y Trên
i wylio llam yr eog yn y pyllau,
a'r cylchoedd yn y dŵr.

Sylwn
ar y mwyar ar y cloddiau
yn wyrdd ac yn goch ac yn ddu,
a'r gwyddifd na wiw mo'i dynnu yn sypiau persawrus;
ar y grug yn wyn ac yn borffor,
a'r pabi coch a'r ŷd;
ar osgeiddrwydd y boda uwch y coed,
a sioncrwydd yr ysgyfarnog;
ar ddiwydrwydd y gwenyn a'r morgrug
yng nghysgod y llygad llo mawr.

Tyrd, anghofiwn y cyfan,
a rhedwn â'r gwynt ar ein gruddiau
allan i groesawu'r haul.

Gwynn ap Gwilym

Dianc

Fe fyddai'n braf cael dianc.
Neidio ar feic ieuenctid
a rasio i'r haul.

Gadael i'r awel
olchi fy ngwallt,
troi fy nghrys agored
yn adenydd cadarn.

Hwylio i lawr ffyrdd unionsyth,
gweld y cloddiau'n
stribedi o ffilm
ar y cof perffaith.

Fe fyddai'n braf
ar ddydd o haf
gael dianc.

W.Dyfrig Davies

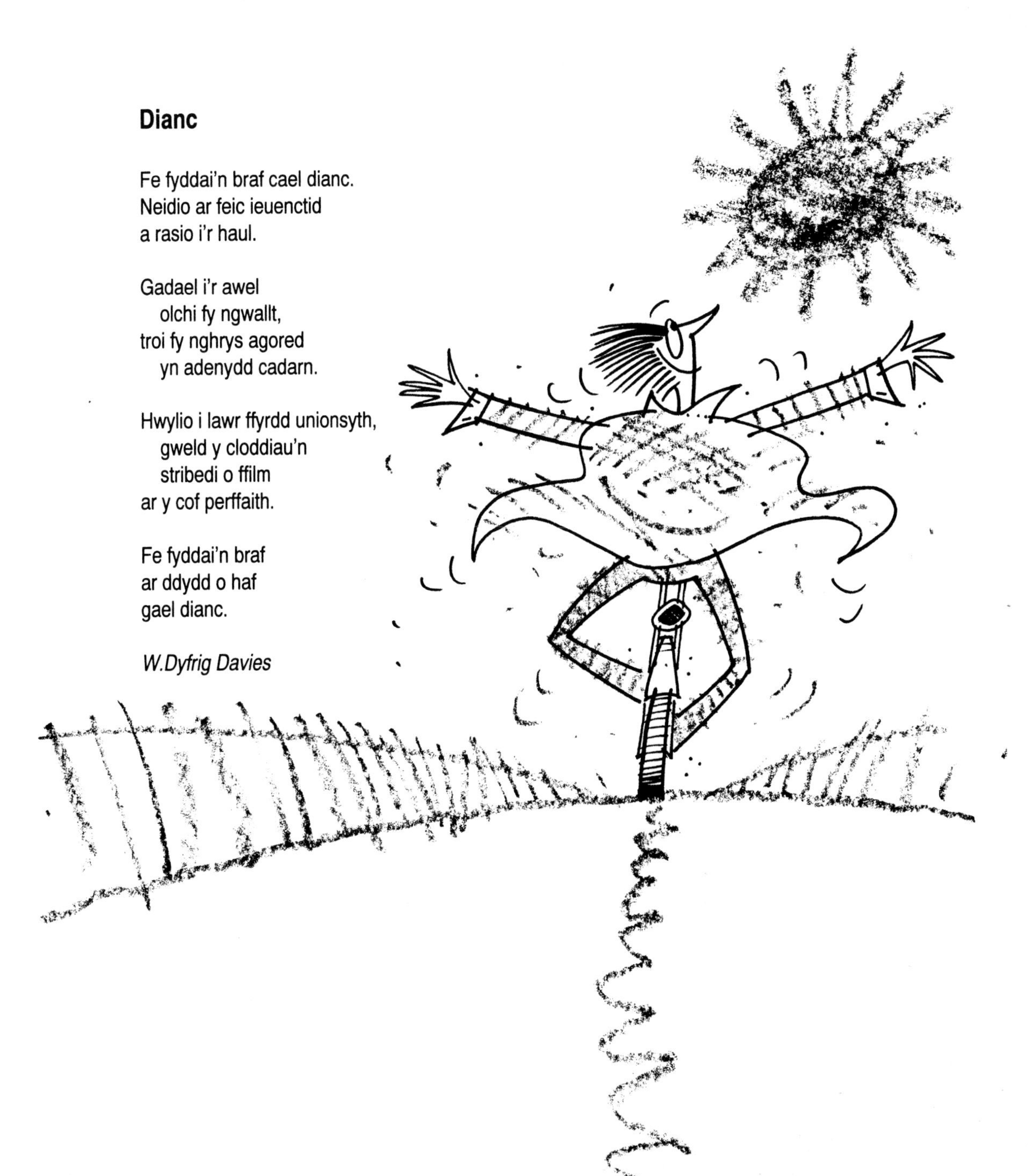

Dau gyfnod/Dwy ferch

Tyngai nhad mai 'rhwym' oeddwn. Gwadu
wnes, heb ddeall ei bendantrwydd.
Onid oedd dyrnau'n plannu poen
gadael cleisiau ciaidd o'm mewn?
oriau unig wedyn, llifodd dafnau
a'm gadael yn baffiwr wedi colli –
mewn gornest na wyddwn y bu.
Dôi tywelion glân. Glanio'n gymen
yn fy nghornel, yn ddigyngor,
disgwylais gloch ataliad. Ni ddaeth.

Pan ddigwyddodd iti, fe wyddwn. Siwrne
swil a siariais â thi. Rhwyddino sgarmes
â chysuron gwyn. Yna, gyda'r gwlith gwawrgoch
mynnais ei ddathlu. Rhoi gwydr at wefus,
tystio wrth y rhaffau dy fod yn gyfan;
yn *fuddugol fenyw.* Daethost drwyddi i'r lan
heb suddo mewn cywilydd. Mesur a wnei bellach
y calendar, ei drwm a'i ysgafn, a'r misoedd
dry'n nodau a gân dy ddyddiau. Llon a lleddf
dymhorau a ddaw i ruo ar riniog dy gnawd.

Ac ynot, mor gywrain â thywysennau dy wallt
Hadlestri* anwel. Yn hyfwyn. Yn hallt.

Menna Elfyn

*Hadlestri – hen air am *ovaries*

Siarad dwbwl
(yw dechrau trwbwl!)

credwch neu beidio
mi rwyf i nawr yn rhiant
yn cofio'r siarad dwbwl
ac yn ei roi i'm plant

'ga i fynd i'r sinema gyda . . . ?'
'gawn ni weld',
(ffordd dda o ddweud na)
'ga i liwio 'ngwallt yn biws?'
'Gofyn i dy dad,'
'ga i jîns newydd?'
'aros nes y daw dy ben-blwydd',
(neu dyw arian ddim yn tyfu ar goed)
'ga i ffrind draw?'
'dyw hi ddim yn gyfleus . . .'
(pam nad ei di i'w thŷ hi
am unwaith?)

mae ambell beth yn newid
gyda'r amserau,
cariadon a rhyw
yn fwy agored;
ond sgyrsiau am glwy gwenerol
ac Aids yn anghenraid –;
addysg am rêp a cham-drin
yn ffordd o fyw;
ac ni fyddant wedi gorfod
ymbalfalu drwy blentyndod –
gan feddwl am fabis ar barasiwts
neu dan fresych yn yr ardd.

ond mae'r diarhebion yn dal
'mae'n amser gwely'
(hynny yw, rydym ni eisiau llonydd;)
– 'mae dy dad a finne eisiau trafod
a'r trafod yn troi yn ffrae;
'mae gwers piano gen ti fory' –
(felly cer i ymarfer wnei di).

fel yna mae sgyrsiau
yn digwydd ar bob aelwyd
greda i –
bywyd weithiau'n wobr
weithiau'n benyd –
gyda rhywun yn anghofio
pwy yw hi
y plentyn ynteu
un o'i rieni?

Menna Elfyn

Dwy awen

Mae mab nad wy'n ei nabod
I'm haelwyd i wedi dod.
Mae ei lais ers deunaw mlwydd
A'i eiriau yn gyfarwydd,
Ei olwg fel y teulu
A'i wedd a'i deip o'r ddau du.
Cnwd o had ein cnawd ydyw
Eithr i ni dieithryn yw.

Y gân sy'n ein gwahanu,
A'r gitâr sy'n rhwygo'r tŷ.
Y canu pop yw popeth,
Byddaru pawb iddo yw'r peth
Ers tro, mewn idiom na all
Dyn na dewin ei deall.

Ei gân ef nid da gen i –
Ni ry' gordd fawr o gerddi –
Diraen fydru anfedrus,
Awen bardd rheffyn pen bys.
Nid yr un ydyw'r heniaith
Na'i cherddi na'i chwerthin chwaith.

Ond onid yw dawn ei daid
I ynganu ing enaid
Ynddo ef yn rym hefyd,
Yn ddileit a ddeil o hyd?
Onid llais di-hid y llanc
Yw tafod y to ifanc?
Onid ef yw oesol dôn
Gofidiau ei gyfoedion,
A bardd mawl eu byrddau medd,
A'u hirfelyn orfoledd?

Y gerdd sydd yn ei gorddi,
Ei fywyd ef ydyw hi.
Yr un yw'r reddf a'r hen raid
Sy'n annos yn ei enaid.
Stiff iawn yw fy stwff innau
Iddo ef, y mae'n ddi-au.
Rhyw alaw dlawd a di-liw,
Anaddas i ni heddiw,
Heb na bît buan na bas,
Na berw diembaras.
Hytrach yn geriatrig
A rhy sgwâr wrth gwrs i gìg.
Hen reffynnau'r gorffennol
Sy'n dal ein hardal yn ôl.

Dwy awen nad yw'n deall
Y naill un felystra'r llall.

Digon tebyg fu gwasgfâu
Y taid gynt â'i gyw yntau.
Difenwai nhad f'awen i.
Ac a'i rhwygai a'i rhegi.
Beth oedd rhygnu'r mydru mau
Wrth ragoriaeth rhyw gorau
Neu ymhel â chwn hela,
Neu hwyl â phêl wrth sol-ffa?

Pawb a'i gryman amdani
'N hanes pawb sy' pia hi.

Y cnwd gwallt, caned ei gerdd
Yn ei iengoed a'i angerdd,
Fe ddaw y taw ar gitâr
Y gwanwyn yn rhy gynnar.

Dic Jones

Kylie a hi

'Mae gen i dipyn o gur pen heddiw'
meddwn innau.
Ddim hanner cymaint â thi
a'th fabi yn y pram
yn bymtheg oed.

'Rhaid i mi fynd'
fel pawb arall yn dy hanes
yn bymtheg oed,
efo dy fabi Kylie.
A thithau'n ei dal am dy einioes.

Aled Lewis Evans

Grym

Hwn eiddil, hwn pwdwr,
hwn lwynog i'r wasg
ar gyfrwy'r gorffennol;
hwn dduw'r miliynau,
hwn waedd y dorf,
hwn mewn undod
unwaith a'u daliodd
yng ngrym ei ddawn,
cyn chwalu o'r sioe
 yn rhacs.

Gerwyn Williams

A.I.D.S.

A, yn y Gymraeg yw 'and',
hynny yw, cysylltair pwysig,
fel yn yr ymadrodd,
ti *a* fi.

I, yn y Gymraeg yw 'to',
cysylltair pwysig arall,
fel yn yr ymadrodd,
Rhoddaf hwn *i* ti.

D, yn y Gymraeg yw dy, 'your',
o leiaf, o flaen llafariad,
rhagenw sy'n nodi meddiant;
yr hyn a dderbynnir oddi wrth
eraill,
          am byth.

S, yn y Gymraeg yw syfrdandod.
Nid cysylltair ydyw,
ond yn hytrach,
          sgrech.

Bryan Martin Davies

Damwain

Mae'r gwaed yn goch ar y modur gwyn
Ac Arwyn yn wastraff ar hyd y ffordd.
Ar y metel yn grafion mae darnau o groen;
O gwmpas, picellau gwydyr a gwythiennau,
Rhychau o siwt a chnawd,
Cerrig wal, a'r car arnynt fel sgrech
Wedi'i fferru; aroglau rwber a phetrol.
Ac y mae'r meclin yn llithrig gan einioes.

Rhwygwyd hwn hyd y tar macadam
A'r haearn a'r maen –
Y bachgen byw.
Tywalltwyd y llanc ar y ddaear.
Daeth adnabod i ben yn y deugain llath hyn
Ar ddiwrnod o haul gwanwyn.
Dieithrwyd Arwyn gan angau.

'Clywsom,' meddai'r llais, 'fod damwain wedi digwydd heddiw
Ar y ffordd yn y fan-a'r-fan
Pan aeth cerbyd hwn-a-hwn o'r lle-a'r-lle
I wrthdrawiad â'r clawdd.'

Clywsom ninnau hefyd,
A gwelsom.

Gwyn Thomas

Angladd John

Angladd fawr oedd angladd John,
Deunaw oed. Poblogaidd. Eglwys lawn.
Gorffen byw cyn dechrau, bron.
A'r geiriau cysurlon, gwag,
y rhethreg efengylaidd, set,
yn methu â rhwystro'r dagrau a'r boen.

Angladd dristach na'r cyffredin oedd angladd John.
Y Duw a drefnodd ragluniaeth y cread,
y Duw oes oesol ar ryw frys dychrynllyd
i dynnu John i'w gôl.
'Llawenhawn', meddai'r ficer, â'i ffydd,
fel ei lais, yn gadarn a chlir:
a'i lais, fel ei ffydd, yn llifo
dros bennau'r gynulleidfa.

Angladd ryfedd oedd angladd John –
rhyfedd o ran amrywiaeth y pysgod yn y rhwyd.
'Na neis oedd gweld yr haid fotor-beicaidd
yn taro i mewn i ddangos teyrngarwch
y frawdoliaeth – oll yn eu lifrau duon . . .

Lluoedd Duw ac angau
ddaeth i gwrdd am awr . . .
'Na neis. A fu cymundeb?
Y naill ochr yn deyrngar i'w Duw
a'r gang yn deyrngar i John, dim mwy.
Y naill ochr yn methu â chael cysur
a'r gang yn cael rhyw nerth o fod yn perthyn.

Rhyfedd hefyd bod John
wedi darogan ei dranc ers misoedd.
'Wela i 'mo ddiwedd y flwyddyn hon',
dywedasai wrth ei ffrindiau.
'Y ffordd rwy'n gyrru'r beic 'na'r
dyddiau hyn . . . Duw a ŵyr . . .'
Duw . . . a John mae'n debyg.

Mynd fel cath i gythraul oedd e ar y pryd,
mae'n debyg.
Y crwtyn annwyl, di-falais, di-feddwl, di-niwed.
Y diawl dienaid!

Ond wnaeth John ddim niwed i neb.
Naddo, diolch i'r drefn.
A wnaiff e ddim chwaith, mwy,
diolch i'r . . . Drefn?

Bryan James

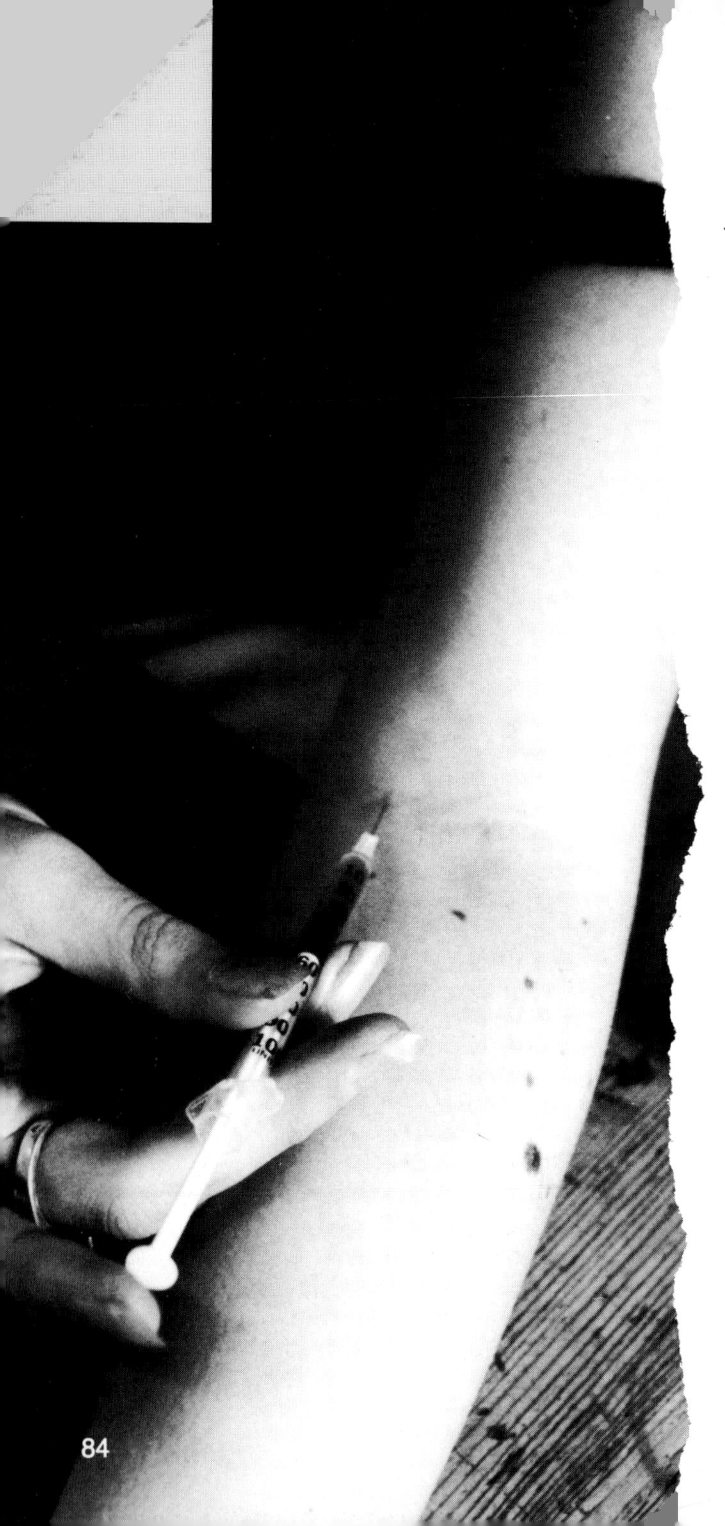

Gail, fu farw *('She was free to die.')*

Ar ôl gweld ffilm deledu (*documentary*) dan y teitl 'Gail is Dead' – hanes bywyd merch ieuanc a fu farw o effaith cyffuriau.

Mor ddi-ystyr fu ei mynd, a'i dyfod.
Y ferch lwyd
Fu'n eitha niwsans i bawb
O'r dechrau.
Parselwyd o le-rhelings i le-tan-glo
Ar y dyddiad-a'r-dyddiad.
Cartref plant. Borstal. Carchar.
Syllodd ar fyd
Trwy fyd
Na faliai.

Ei llais, mor dawel.
'Hapus? Mae'n siŵr.
Yn blentyn . . .'
Llais na chredai ei eiriau ei hun.

Ffug-hapusrwydd heroin,
Ac yna'i harch
Yn diflannu i dywyllwch taclus, mesuredig,
I'w llosgi.
('Fe ddowch i'm hangladd?')
Llafargan gysurlon eglwyswr
Dieithr.
Ei ffrindiau
Od
Yn ysgwyd llaw.

Ac allan a hwy, i grio ar gornel y stryd
Drosti hi
A throstynt eu hunain.

Gollyngwyd hi'n rhydd,
Yn rhydd i ddewis marw.

Mor ddi-ystyr fu ei mynd, a'i dyfod.

Nesta Wyn Jones

Johnny

Ma' fe'n byw ar y gwynt
yn denant tŷ unnos ar lan afon Tafwys.
Llechu tan gar'bord,
o'dd echdo'n focs golchwr dillad.
Parselu'i dra'd mewn hen *Dimes* –
un swmpus rhag y dwyreinwynt.
Claddu'i ddwylo yn nwfn 'i bocedi
a swmpo'r pishyn siocled o fin rybish Y Strand . . .

Heno,
'i gasto heb enw ar *Newsnight*
gan ohebydd cro'n dafad . . .

Mewn mynwent ar lan afon Teifi
ma'i enw ar glawr –
'Er cof am Marged Ifans Y Felin,
annwyl fam Johnny . . .'
Y gymdogeth a dalodd am lechen,
o barch iddi hi,
rhag c'wilydd iddo fe . . .

Yn Y Siambr ma'r gwres yn codi –
rhai enwog, rhai nid anenwog
yn trafod y tywydd a hunllefe'r tlodion,
a chynnig pumpunt i leddfu'u cydwybod
tra pery'r oerfel a'r hypothermia . . .

Ond heno a fory,
fel neith'wr ac echnos a'r llynedd,
tra pery'i gydwybod,
prin fydd i' gwsg
heb enllib 'i hunllef –
gweld y felin ar dân
a'i fam yn llosgi . . .
Clywed 'i sgrech ar y llechen
a chylleth cymdogeth
yn crynu'n 'i gefen.

T. James Jones

Tai unnos

Sbwriel oes yr ia oedd y cerrig llyfnion
orweddai'n flêr hyd lannau'r afon:

sbarion a shafins cŷn a morthwyl y rhewlif
a siapiodd pob dyffryn ganrif wrth ganrif:

ac â'r sbwriel cododd ein cyndeidiau'n ddyfal
fwthyn clud yn nhro'r afon, ar seiliau petryal

gosod carreg ar garreg rhwng gwyll a gwawr,
a chynnau tân cyn i'r landlord dynnu'r cyfan i lawr;

hawlio darn o dir a'i godi'n aelwyd
drwy nerth bon braich troi llafur yn freuddwyd:

ar lannau traffyrdd y dinasoedd llwydion,
ac yng nghesail concrid swyddfeydd gweigion,

dan bontydd ffyrdd osgoi, mewn meysydd parcio mae rhai
yn eu dyblau heno hefyd wrthi'n codi tai,

rhoi trefn ar sbwriel dan y sêr,
hawlio darn o dir â bocsys cardbord blêr.

Iwan Llwyd. Ionawr 1993

Y ferch ar y cei yn Rio

Plyciai'r tygiau'r llong tua'r dwfn,
   A'r fflagiau i gyd yn chwyrlïo;
O'r cannoedd oedd yno, ni sylwn ar neb
   Ond ar ferch ar y cei yn Rio.

Ffarweliai â phawb – nid adwaenai neb –
   Mewn cymysgiaith rhwng chwerthin a chrio;
Eisteddai – cyfodai: trosi a throi
   A wnâi'r ferch ar y cei yn Rio.

Anwesai lygoden Ffreinig wen
   Ar ei hysgwydd, a honno'n sbio
I bobman ar unwaith, fel llygaid di-saf
   Y ferch ar y cei yn Rio.

Efallai ei bod wedi bod ryw dro
   I rywun yn Lili neu Lio;
Erbyn hyn nid oedd neb – nid ydoedd ond pawb
   I'r ferch ar y cei yn Rio.

Ac eto ynghanol rhai milain eu moes
   Ni welais neb yn ei difrïo,
Nac yn gwawdio gwacter ei ffarwel hi –
   Y ferch ar y cei yn Rio.

Pwy a edrydd ynfydrwydd ei chanu'n iach,
   Neu'r ofn a ddaeth im wrth bitïo
Penwendid y ferch â'r llygoden wen –
   Y ferch ar y cei yn Rio?

Rio de Janeiro, *Awst, 1925*

T.H.Parry-Williams

Y ffidlwr

'Welais i ddim ond gwyll i ddechrau,
ffroeni dim
ond surni Guinnes a mwg Majors,
teimlo dim
ond breichiau myglyd y gwmnïaeth
yn cau amdana' i, a'm denu
i foddi mewn môr o gân,
yn llanw a thrai eu gorffennol,
gan nofio hwnt ac yma
ar nodau cynnes sentiment
nes i donnau egr gwlatgarwch
ein golchi i'r lan o'r diwedd
ar draeth sychlyd y rownd nesa'.

Ac yna, clywais.
Dim ond un ffidlwr oedd, a'i foch
yn pwyso ar ei ffidil
fel anwes, ei fraich
yn suo'r tannau
fel cusan hedd.
'Roedd o'n brydferth,
un o ffyliaid diniwed Duw
yn ymbalfalu
am y felodi aeth ar goll
amser maith yn ôl,
y diwn
a gododd fel colomen
uwch caeau gwyrddion Iwerddon
a hedfan
hyd na welodd llygad dyn
ddim
ond brân ddu ar rimyn y gorwel.

Ac yn y tawelwch, yn araf, araf
dringodd yr edefyn o gerdd
ar risiau'r nodau
nes cyrraedd man
lle fflachiodd y bwa fel cleddyf,
gan serio trwy'r sentiment
fel gwifren yn tynnu gwaed,
man lle pigai'r nodau y cof fel cenllysg ar groen.
Gwelais y frân.

Ac yna fe ddaeth diwedd ar y gân.

Elin ap Hywel

Garej Lôn Glan Môr

mae garej Lôn Glan Môr
yn agored trwy'r nos bob nos:
llain o olau melyn rhwng Clwb Crosville
a maes parcio gwag y *Drive-In Takeaway,*
a'r môr gerllaw yn gwrando.

mae'n rhyfedd fel y mae noson fel heno,
noson lasach na denim,
yn ein galw ni yno.

os wyt ti'n cyrraedd yn ôl ym Mangor
rywbryd yn yr oriau mân
pan fo goleuadau'r arfordir
yn pefrio yn y pellter fel mwclis,
a milltiroedd di-ri' y tu ôl ichdi
yn rhuban brith o hanesion,
dos i lawr i garej Lôn Glan Môr.

cei brynu petrol a fferins yno,
cei sgwrs wrth y cownter efo Geraint
fydd yn darllen nofel,
yn hanner gwrando ar Radio Luxembourg,
yn mesur ei oriau fesul paneidiau.

a phwy yw'r rhain sydd yn dyfod
i fyny o'r anialwch?
dau neu dri mewn siacedi lledr
i brynu Mars Bar a Pepsi wrth gerdded adre;
amebll rwdlyn yn ei ddiod;
ambell gar –
rhyw boblach 'fath â chdi a fi,
briwsion a gollwyd gan neithwir
ac a 'sgubir o'r stryd gan y wawr.

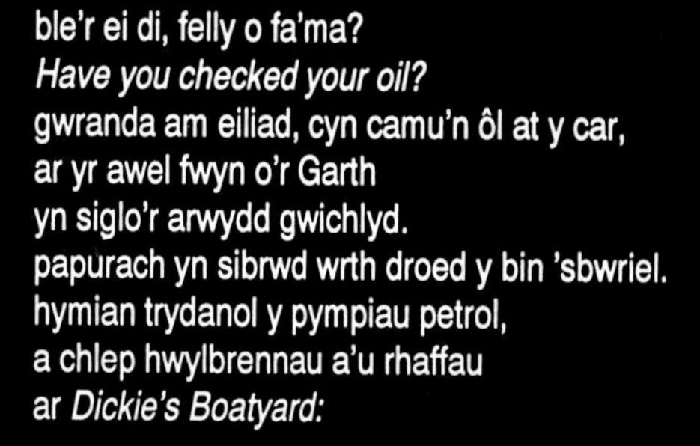

ble'r ei di, felly o fa'ma?
Have you checked your oil?
gwranda am eiliad, cyn camu'n ôl at y car,
ar yr awel fwyn o'r Garth
yn siglo'r arwydd gwichlyd.
papurach yn sibrwd wrth droed y bin 'sbwriel.
hymian trydanol y pympiau petrol,
a chlep hwylbrennau a'u rhaffau
ar *Dickie's Boatyard:*

dyma'r nos yn siarad,
yn dy annog i symud ymlaen
a dilyn ffyrdd eraill,
ac yn addo gwireddu rhyw hen ddyhead
sy'n dal i ddwyn dy gwsg.

dyma'r nos yn galw
ar y rhai sydd rywsut yn fythol symudol,
wedi'u treulio'n denau gan y ffyrdd
ond yn dal i fynd
yn dal i wrando ar y llais,
Open 24 Hours.
fel garej Lôn Glan Môr.

Thank You For Calling.

Steve Eaves

Y sipsi

Yng ngwyll ei phabell
mae llewyrch sy'n hudo
fel cannwyll y gwir
y crefwn fel meddwon amdano,
y golau 'ddisodla'r gwewyr
a'n hofn am ein hyfory ni.

Yn ei chrisial mae darlun
sy'n niwl a nos i ni
tan i grygni'r llais mesmeraidd
agor drws a'n tywys
ar lusernog daith
hyd lwybrau ein hyfory ni.
Ei llygaid fel ebill
yn tyllu, fel ellyn
yn naddu drwy'r croen
at y cig noeth
sy'n drwm dan anasthetig
y cymun seicig
a rydd hedd am ryw hyd . . .

tan i hud ei geiriau tyner
mai Duw 'gynlluniodd bob llaw
fachlud gyda'r geiniog goch o haul.

Delyth George

Park Avenue, Wrecsam

Cydgerddwn â'r hydref
y diwrnod hwnnw
a gwynt y tymor
yn cochi'r coed
a chodi'r llwch
y tu allan i'r tai;

ar hyd fy stryd
cerddai'r gwragedd a'r cŵn
gan oedi rhwng y coed crin
a theimlo gwallgofrwydd y
gwareiddiad trefol yn
tawelu a diflannu
wrth basio ein tŷ ni;

heibio'r muriau a'm cysgododd
lawr heibio'r poerad o barc
at y siopau a'r tir
y cerddais, rhedais, reidiais
drosto nes ei lyfnhau
yn berffaith berffaith;

dyma fy stryd
dyma lle tyfais
yn un â'm cynefin.
Yma
  fy magu, fy meddwi
  fy mygu, fy malu
  fy nghuro, fy ngharu
  fy rhythu, fy rhegi

Tyfais yma.

Gwelaf ŵr a mwstash –
one of the lads
edrychai fel un o'r criw
ac fe'i dychmygwn yn chwarae i Wrecsam
a rhif 10 ar ei gefn,
yr awel yn cyrlio ei byrm peldroedaidd
a'r gôl o'i flaen . . .
wedi sgorio pram a bychan chwe mis oed
a chymar yn un o ferched The Mount
yn parhau'n driw i fagwraeth y jins tynn a'r stiletos:

cofiaf y parc
ac ef yno, ynghanol y llwch
ar ei BSA Javelin
a minnau'n nerfus bwyso a'm beic merch
ar y wal nesa i'r giât.

Tyfais yma
cerais ac fe'm carwyd yma

ac fe'm arweiniwyd
tua pen fy stryd at y groesffordd
i gofio bod rhaid dewis y ffordd orau
oddi yma.

Alun Llwyd

Yr hen fflat

Roedd yr haul yn cerdded i mewn i'r stafell bob bore,
Yn cyrraedd heb gnocio a ni'n ei nabod mor dda
A'r lleuad yn dod â thusw o sêr i'w ganlyn
I flodeuo'r nos â phetalau gerddi'r ha.

Pasiais y fflat yna ddoe. Roedd y ffenest yn dywyll
A'i gwydrau'n ddu lle gadawodd y stormydd eu staen;
Roedd y prennau noeth yn pydru, paent wedi cracio
A golwg ar waliau, y lle wedi colli'i raen.

Pliciodd y croeso oddi ar y drws a phylodd;
Mae rhywrai wedi esgeuluso'r lle ers tro;
Nid yw haul y nos na seren y dydd yno bellach
Ac eto nid yw'r llenni wedi'u cau yn llwyr yn y co.

Myrddin ap Dafydd

Stafell Gynddylan

Stafell Gynddylan ys tywyll heno,
Heb dân, heb wely,
Wylaf dro, tawaf wedyn.

Stafell Gynddylan ys tywyll heno,
Heb dân, heb gannwyll.
Ond am Dduw, pwy 'rydd im bwyll?

Stafell Gynddylan ys tywyll heno,
Heb dân, heb oleuad.
Hiraeth ddaw im amdanat.

Stafell Gynddylan ys tywyll ei nen
Wedi ei gwyn finteio.
Gwae'r hen ni wna'r da 'ddaw iddo.

Stafell Gynddylan, aethost wan dy wedd,
Mae mewn bedd dy darian.
Tra fu, nid briw'r glwyd yn unman.

Stafell Gynddylan, mor anhygyrch heno
Wedi'r pen oedd arnat.
Och i angau, pam y'm gâd?

Stafell Gynddylan, nid cysurus heno
Ar ben craig drallodus
Heb iôr cry', heb lu, heb loches.

Stafell Gynddylan ys tywyll heno,
Heb dân, heb gerddau.
Cystudd ar ddeurudd yw'r dagrau.

Stafell Gynddylan ys tywyll heno,
Heb dân, heb wyrda.
Yn hidl fy nagrau 'dreigla.

Stafell Gynddylan, fe'm gwân i'w gweled
Heb doad, heb dân.
F'arglwydd nid yw: byw fy hunan.

Stafell Gynddylan mor ddrylliog heno
Wedi'r rhyfelwyr selog –
Elfan, Cynddylan, Caeog.

Stafell Gynddylan dan boenau heno –
Wedi'r parch a'm hurddai –
Heb wŷr, heb wragedd a'i cadwai.

Stafell Gynddylan, dawelaf heno
Wedi colli ei dewraf.
Y mawr drugarog Dduw, beth 'wnaf!

Stafell Gynddylan ys tywyll ei nen
Wedi difa o Loegr-wŷr
Gynddylan ac Elfan Powys.

Stafell Gynddylan ys tywyll heno
Am blant Cyndrwynyn –
Cynon a Gwion a Gwyn.

Stafell Gynddylan, fe'm gwân bob awr
Wedi'r mawr gydymddiddan
A welais ger dy bentan.

Anhysbys
Diweddariad Gwyn Thomas

Chwyrlïa'r gwynt

Chwyrlïa'r gwynt
am ystlysau'r tŷ
a thrwy ei wallt.

Sŵn
ochenaid mewn tuniau
neu drenau mewn tiwbiau
yn rhuthro
neu hisian sosban frys.

Gwynt
                yn bygwth.

Bysedd corniog
hen ŵr
yn ymestyn i ddymchwel
y tŷ fel tŷ dol.
Cathod du gwyllt
yn ymrwygo a phoeri
dros gelain
                eu prae.

Ond heddiw,
a heulwen y bore
yn arllwys drwy'r ffenest
fel lemonêd,
wnaiff y gwynt ddim
ond chwyrlïo.

Gilbert Ruddock

Henaint

Ymlwybrai o amgylch
y siop a'i basged bron yn wag.
Symudai rhwng y silffoedd
a ogwyddai'n feichiog dan eu
pwn chwyddedig,
a syllai ar lwyth mamau ifanc
wrth iddi estyn am ddigon o fwyd
i un,
dim ond i un.

Daeth ei hoes i ben.
Aberthodd ei rhuddin gwyryfol
i gusanau chwantus,
erfyniol ei gŵr.
Palwyd llyfnder ifanc ei dwylo
yn erw o dir garw, cynhyrchiol.
Tynnwyd y maeth ohoni
gan wefusau gwancus ei phlant, ei gŵr,
ei byd,
tynnwyd y maeth
a'i gadael yn wan,
yn farw, yn hesb.

Ac yn ei gwendid
ciliodd ei chariad
i freichiau melfedaidd
marwolaeth.
A chiliodd ei phlant
gan adael i'r byd
eu suo i gysgu nawr.
Yn forwyn, yn gariad, yn fam,
ac yn awr yn ddim.

Aeth heibio im
fel ager o'm ceg ar fore oer.
Aeth heibio,
ond yn ei llygaid llwyd
gwelais fy wyneb i,
fy wyneb ifanc i,
ac roedd arnaf ofn, ofn.

Lona Llewelyn Davies

Hen beth

Pan ddaeth hi i'r bws yr oedd cwrteisi
Yn atal pawb ond y plant rhag troi
Ac edrych arni, y wraig ddrylliedig,
Ond yr oedd pawb yn sylwi.

Mae hi'n hen, ond yn ymladd y cyfnewid
A elwir yn amser gydag ymgais i guddio
Yr hyn sy'n digwydd am ei hesgyrn,
Y llacio sydd yno a'r gwysno.

Mae'n anodd credu, ond fe fu hon yn hardd.
Mae rhai yn cofio chwant yn lledu fel rhosyn
Ynddynt, yn glwyf porffor trwy eu cnawd
O hiraeth swrth ei harffed.

A rŵan mae hyd yn oed yr ymborthwr hwnnw
Ar heintiau, yr un sy'n byw ar wres afiach hen glefydau
A gwaed newydd ei dorri'n frwnt o'r wythïen ifanc
Yn hirymarhous i orwedd ganddi.

Bu bywyd rhwng ei blynyddoedd, bu harddwch.
Fe fu, ni fedr amser wadu hynny.
Ac olion o'r annileadwy yw ffolineb
Ofer y gwrid gosod a'r dŵr swyn.

Fe ddywedaf fi ei bod yn ddewr,
O leiaf nad gwrthuni hen falchder yn unig
Yw'r ymgais i lurgunio lliw'r blynyddoedd.
Ond dda gen i ddim, yn enwedig ar goedd,
Iddi eistedd yn f'ochor a hithau fel 'roedd.

Gwyn Thomas

Deilen

Mae'r ddeilen o bren yn cael ei bwrw,
Mae'n hofran, yn hedfan,
Yn dal ar yr awel,
Yn addfwyn yn hongian,
Yn nofio yn dawel,
Yn llithro – fflach llathr –
Yn folwyn neu felen.
Mae'n clownio, troell liwio,
Fflantio'n ffantastig,
Llygota'n fyrdroed yn fwrlwm o liw,
Mae'n goleddf olwyno, yn siglo
Yn loyw i lawr.
Mae'r ddeilen o bren yn cael ei bwrw.
A'r hyn mae'n ei wneud?
Y mae'n marw.

Gwyn Thomas

Dysgub y dail

Gwynt yr hydref ruai neithiwr,
  Crynai'r dref i'w sail,
Ac mae'r henwr wrthi'n fore'n
  'Sgubo'r dail.

Yn ei blyg uwchben ei sgubell
  Cerdd yn grwm a blin,
Megis deilen grin yn ymlid
  Deilen grin.
Pentwr arall; yna gorffwys
  Ennyd ar yn ail;
Hydref eto, a bydd yntau
  Gyda'r dail.

Crwys

Taid

Ei ddwylo fel dwy ddeilen – y mae'r grym
O'r gwraidd wedi gorffen;
Mae 'nhaid nawr yn mynd yn hen,
Ddoe'n graig a heddiw'n gragen.

Dic Jones

Mewn cartre hen bobl

Coed cam
Yn cwyno'u ffordd o gwpwrdd i gadair
Ac o wal i wely;
Rhy brennaidd i orwedd yn iawn.
Wedi gorwedd, rhy gloëdig i godi.

Coed crin
A gollodd eu dail hydrefau yn ôl
Heb adar mwyach yn trydar o gangen i gangen
Nac yn hedfan o goeden i goeden.

Boncyffion crwm.

A fu hwn yn dalgryf?
A fu hon yn llathraidd?
A fu bywyd yn iraidd hyd flaenau'r bysedd?
Wedi lleithder sychder sydd
Mewn coed hen.

Colfennau celyd
Yng nghlymau'r penliniau
A'r penelinoedd;
Cnotiau pren rhosyn yng ngherfiad wyneb
– Un ar bob boch –
Hen goed.

Celyn a derw a drain
Yn coedwigo'r cartre.

Coed cam.

Eirian Davies

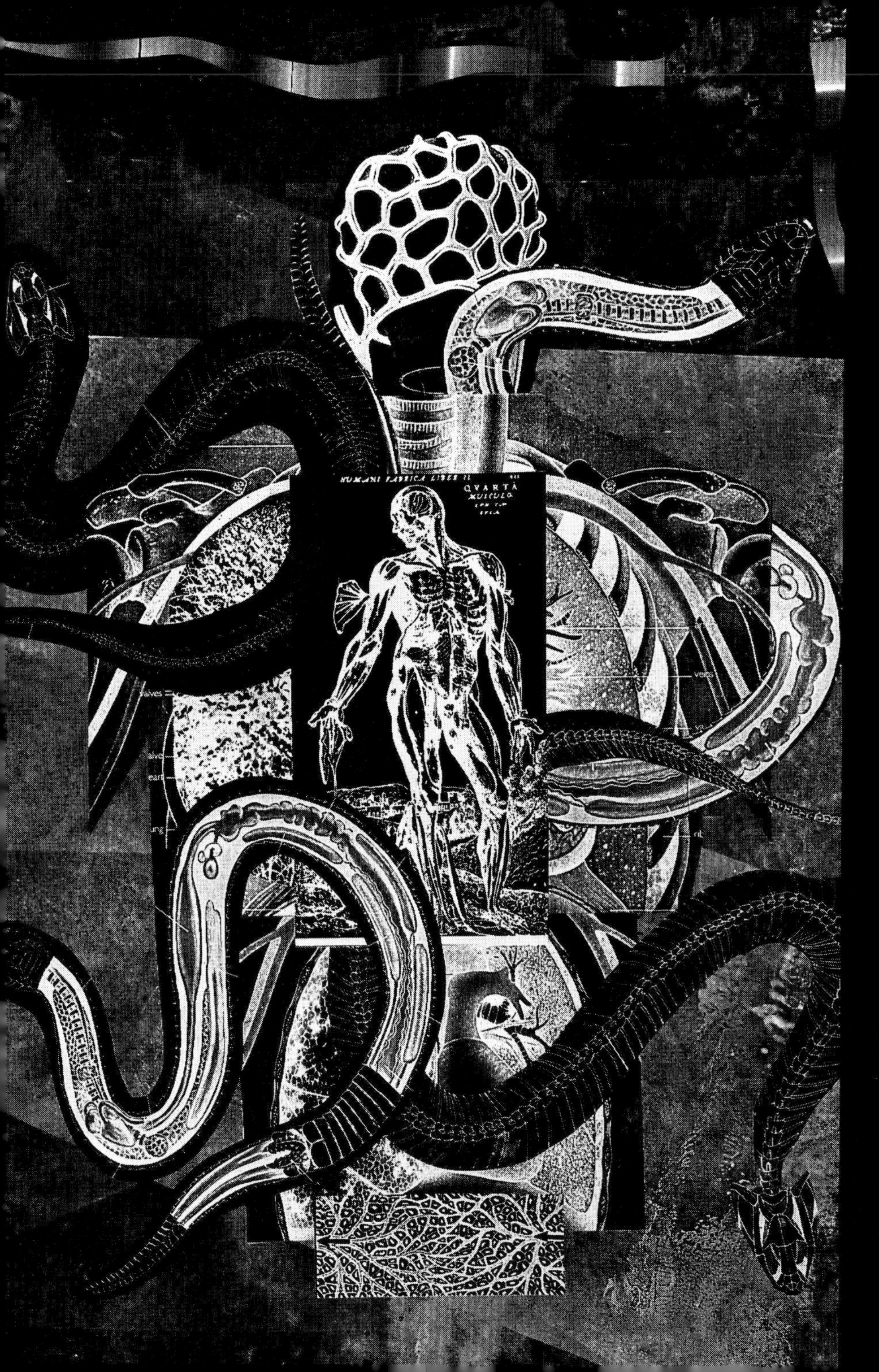

Asma

Du yw'r nos
pan fo'r anaconda hir yn nesu
eto heb ruthr at brae.

Fy ing yw hi,
ymwinga'n ofer fy nghorff
rhag yr erchyllltra bwaog
sy'n cau am fy asennau caeth.

Bwrw dur mynawyd i law
yw brywdro am anadl o hyd;
ysig wyf, a'm hysgyfaint
yn dynn ym magl y mud ynni'n
ymglymu amdanaf.

Ymdorcha y genawes
am fy ymdrech â'i hegnïon;
ni alla' i ei lladd,
a rhaid aros i'r cyffuriau durio
i'w thagu â'u nerth, a'i gwanhau
nes syrthia o 'mrest yn swrth mwy,
a rhwystro'r egni llosg
rhag fy mygu'n llwyr.

O'r diwedd
mae ymgordeddu y neidr
a'r gwasgu ar ben,
a daw rhyw awr o gwsg o'r boen.

Hoe wedi ochain
nes dychwel
pŵer
ei holl chwerwedd llechwraidd
ataf ryw nos ddu eto.

Emrys Roberts

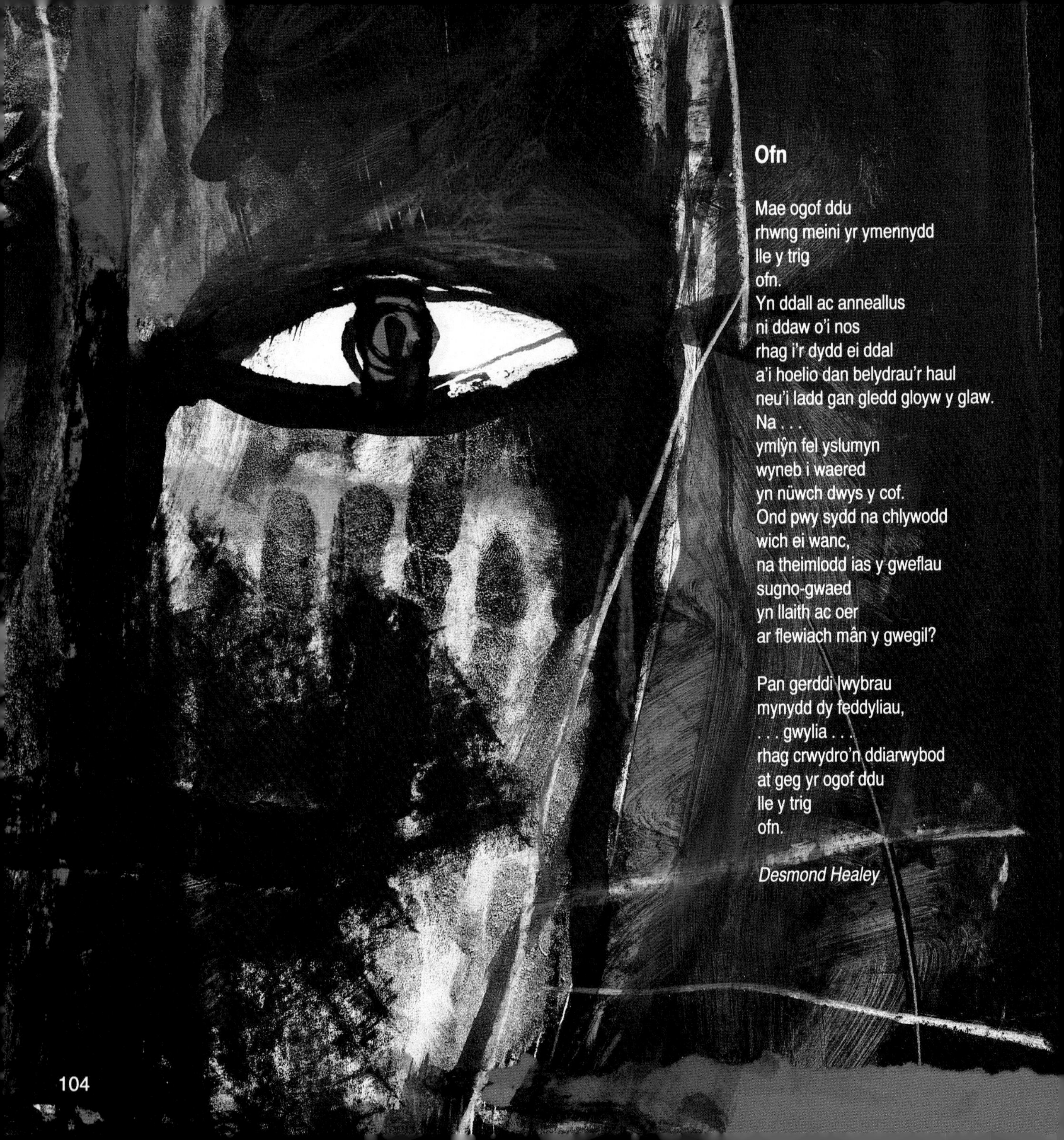

Ofn

Mae ogof ddu
rhwng meini yr ymennydd
lle y trig
ofn.
Yn ddall ac anneallus
ni ddaw o'i nos
rhag i'r dydd ei ddal
a'i hoelio dan belydrau'r haul
neu'i ladd gan gledd gloyw y glaw.
Na . . .
ymlŷn fel yslumyn
wyneb i waered
yn nüwch dwys y cof.
Ond pwy sydd na chlywodd
wich ei wanc,
na theimlodd ias y gweflau
sugno-gwaed
yn llaith ac oer
ar flewiach mân y gwegil?

Pan gerddi lwybrau
mynydd dy feddyliau,
. . . gwylia . . .
rhag crwydro'n ddiarwybod
at geg yr ogof ddu
lle y trig
ofn.

Desmond Healey

Poli, ble mae dy gaets di?

'If we have come to think that the nursery and the kitchen are the natural sphere of woman, we have done so exactly as English children come to think that a cage is the natural sphere of the parrot because they have never seen one anywhere else.'

George Bernard Shaw

Poli yn y gaets
a mam yn y gegin
yn berwi cawl cig mochyn
a Deio yn cael napyn.

Rhyw ddydd
daeth Poli allan
a safodd ar bolyn telegraff,
a dywedodd pawb:

'Poli, beth wyt ti'n neud fan'na?
Mae dy gaets di'n wag
hebot.'

Gwylltiodd Poli a dweud,
'Rwy am weld y byd
a gall parot hedfan hefyd.'

Yn y cyfamser
gadawodd mam y cawl i ferwi'n sych.

Menna Elfyn

Cau pwll

(Hen golier yn cofio)

Bu tristwch.

Nid am fod pwll yn cau,
ond am nad oedd dim
ar ôl.

Nid oedd ar neb hiraeth am y llau
a'r llygod a'r chwys
a gwres hen hwch
o le a roddai galed gôl
i gael ei thyllu gan ddannedd clau.
Nid chaed anghofio – bu llen y llwch
dros enaid ac ysgyfaint llawer un,
a chysgod llawer angau ar y ddôl
fu gynt yn dyner ac yn wyryf.
Ni chwyddai lwmp yng ngwddwg dyn
wrth feddwl am y pyst yn torri,
a'r dŵr yn oer fel cleddyf
yn yr ystlys, ac ofnus gân
y cwmni pell yr ochr draw i'r tân.

Eto, aeth smic-smac y beltiau
a dwndwr pendramwnwgl dramiau
yn rhan o rithm bod.
Bellach ni ddôi clod na balchder
o raso dram a'i thrimo.
Rhoed sbrag disymud yn rhod hen fywyd,
a'r olwynion wedi peidio
â churo yn y meddwl.
Daeth rhyw wacter dilawenydd
i gadw yng nghilfachau'r cwm.
Yr oedd y fraich yn mynd yn ddiffrwyth
ac yn drwm heb sledj na tharadr,
a'r corff fu'n gryf ac ystwyth
yn rhydlyd ac yn frau
fel hen aradr.

Gilbert Ruddock

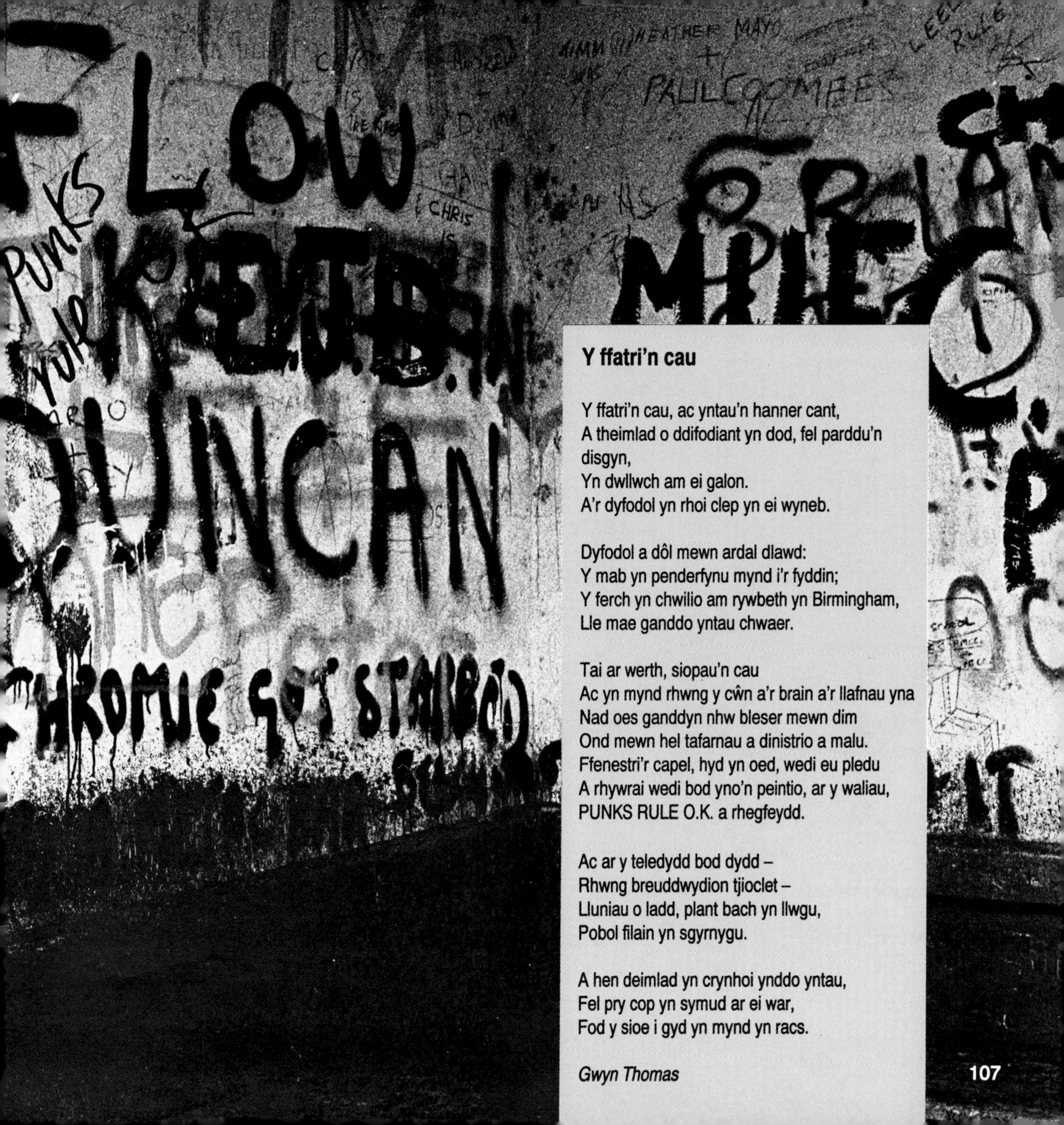

Y ffatri'n cau

Y ffatri'n cau, ac yntau'n hanner cant,
A theimlad o ddifodiant yn dod, fel parddu'n
disgyn,
Yn dwllwch am ei galon.
A'r dyfodol yn rhoi clep yn ei wyneb.

Dyfodol a dôl mewn ardal dlawd:
Y mab yn penderfynu mynd i'r fyddin;
Y ferch yn chwilio am rywbeth yn Birmingham,
Lle mae ganddo yntau chwaer.

Tai ar werth, siopau'n cau
Ac yn mynd rhwng y cŵn a'r brain a'r llafnau yna
Nad oes ganddyn nhw bleser mewn dim
Ond mewn hel tafarnau a dinistrio a malu.
Ffenestri'r capel, hyd yn oed, wedi eu pledu
A rhywrai wedi bod yno'n peintio, ar y waliau,
PUNKS RULE O.K. a rhegfeydd.

Ac ar y teledydd bod dydd –
Rhwng breuddwydion tjioclet –
Lluniau o ladd, plant bach yn llwgu,
Pobol filain yn sgyrnygu.

A hen deimlad yn crynhoi ynddo yntau,
Fel pry cop yn symud ar ei war,
Fod y sioe i gyd yn mynd yn racs.

Gwyn Thomas

Welsh Internatio
BANK of ENGLAND
TWENTY
FIFTY
POUNDS

Gwareiddiad

Rhowch i mi
rhowch i mi
rhowch i mi

drywsus *Benetton* a siaced *Next*
esgidiau *Nike* ac oriawr *Swatch*
garej i'r *Golf* a dreif i'r *Peugeot*
Aga i'r prydau Indiaidd llysieuol
rhewgell i'r *Flora* a'r moron organig
seler i'r *Frascati* a bar i'r *Perrier*
Amstrad i'r stydi a chadeiriau *Habitat*
bwrdd coffi i *Cosmo* a *Trivial Pursuits*
llyfrgell i *Planet, New Statesman* a *Lol*
lolfa i *Dinas* ac *Eastenders*
oriel i'r Kyffin a barddoniaeth R.S.
llyfrgell i'r *Guardian* a'r *Observer*

y cwbl sy'n *vogue*
yn *raison d'être*
cyn dirywio'n *blasé*

i lenwi fy nyddiau
dilladu fy nghnawd

Draw, draw'n Ethiopia
            ac anialdir Swdan
sypiau esgyrnog
            sy'n marw.

Gerwyn Williams

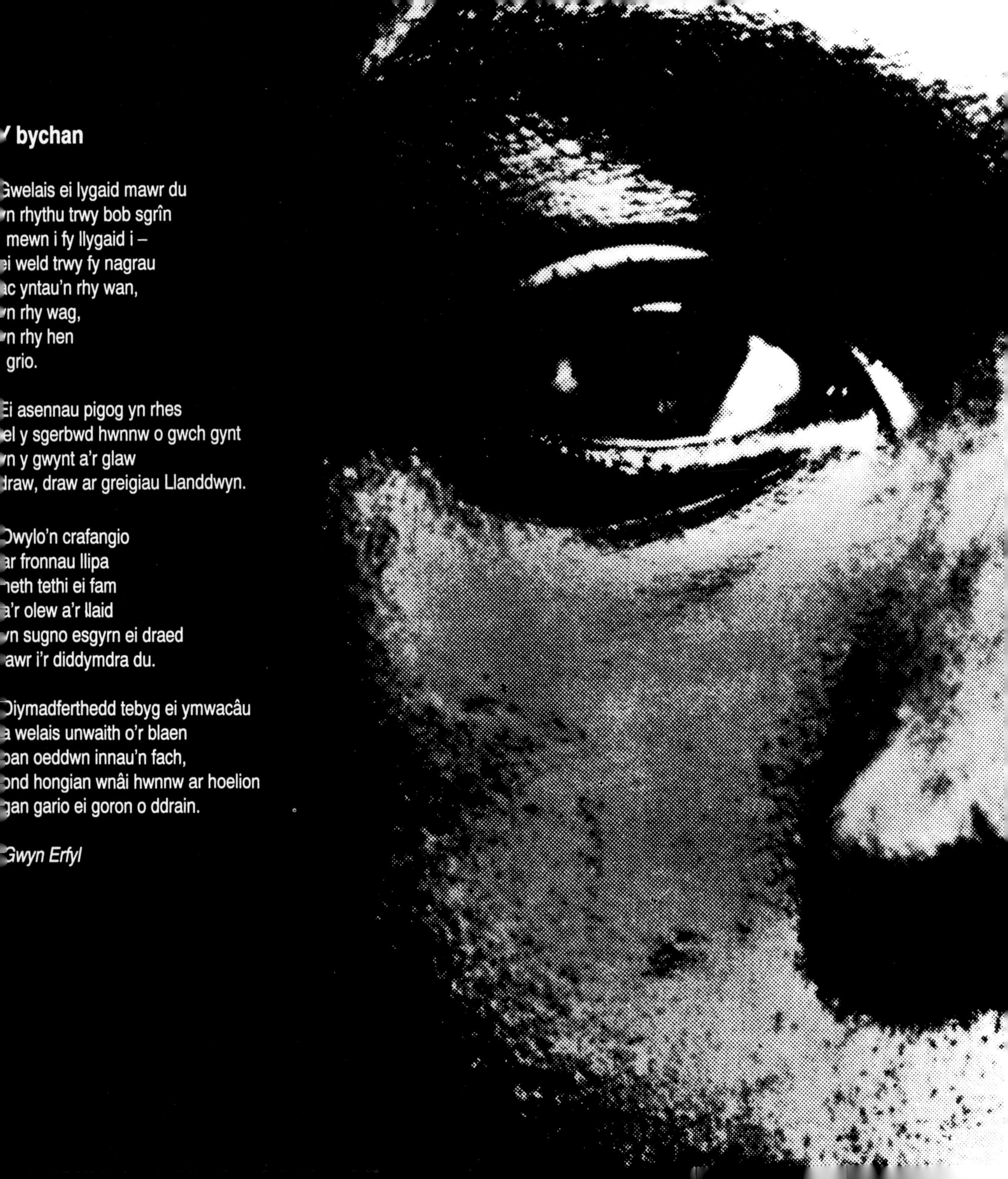

bychan

Gwelais ei lygaid mawr du
n rhythu trwy bob sgrîn
mewn i fy llygaid i –
i weld trwy fy nagrau
c yntau'n rhy wan,
n rhy wag,
n rhy hen
grio.

Ei asennau pigog yn rhes
el y sgerbwd hwnnw o gwch gynt
n y gwynt a'r glaw
raw, draw ar greigiau Llanddwyn.

Dwylo'n crafangio
r fronnau llipa
eth tethi ei fam
'r olew a'r llaid
n sugno esgyrn ei draed
awr i'r diddymdra du.

Diymadferthedd tebyg ei ymwacâu
welais unwaith o'r blaen
an oeddwn innau'n fach,
nd hongian wnâi hwnnw ar hoelion
an gario ei goron o ddrain.

Gwyn Erfyl

'Mab a'n rhodded, Mab mad aned, dan ei freiniau;
Mab gogoned, Mab i'n gwared, y Mab gorau;
Mab fam forwyn, grefydd addfwyn, aeddfed eiriau;
Heb gnawdawl dad, hwn yw'r Mab Rhad, rhoddiad rhadau.
Doeth ystyriwn a rhyfeddwn ryfeddodau,
Dim rhyfeddach ni fydd bellach ni bwyll enau.
Duw a'n dyfu, dyn yn crëu creaduriau.
Yn Dduw, yn ddyn, a'r Duw yn ddyn, yn un ddoniau.
Cawr mawr bychan, cryf, cadarn, gwan, gwynion ruddiau.
Cyfoethawg tlawd, a'n Tad a'n Brawd, awdur brodiau.
Iesu yw hwn a erbyniwn yn ben rhiau.
Isel, uchel, Emanuel, mêl feddyliau.'

Madog ap Gwallter

Drama'r Nadolig

Defod, ar y Nadolig, yw fod
Plant y festri, y bychain,
yn cyflwyno yn ein capel ni
Ddrama y geni.

Bydd rhai oedolion wedi bod wrthi
Yn pwytho'r Nadolig i hen grysau,
Hen gynfasau, hen lenni
I ddilladu y lleng actorion.

Pethau cyffredin, hefyd, fydd yr 'anrhegion':
Bydd hen dun bisgedi,
O'i oreuro, yn flwch 'myrr';
Bocs te go grand fydd yn dal y 'thus';
A daw lwmp o rywbeth wedi'i lapio,
Wedi'i liwio, yn 'aur'.
Bydd yno, yn wastad seren letrig.

Bydd oedolion eraill wedi bod yn hyfforddi angylion,
Yn ceisio rhoi'r doethion ar ben ffordd,
Yn ymdrechu i bwnio i rai afradlon
Ymarweddiad bugeiliaid,
Ac yn ymlafnio i gadw Herod a'i filwyr
Rhag mynd dros ben llestri –
Oblegid rhyw natur felly sy ym mhlant y festri.
Bydd Mair a bydd Joseff rywfaint yn hŷn
Na'r lleill, ac o'r herwydd yn haws i'w hyweddu.
Doli, yn ddi-ffael, fydd y Baban Iesu.

O bryd i'w gilydd, yn yr ymarferion,
Bydd cega go hyll rhwng bugeiliaid a doethion,
A dadlau croch, weithiau, ymysg angylion,

A bydd waldio pennau'n demtasiwn wrthnysig
I Herod a'i griw efo'u cleddyfau plastig.
A phan dorrir dwyster rhoddi'r anrhegion
Wrth i un o'r doethion ollwng, yn glatj, y tun bisgedi
Bydd eisiau gras i gadw'r gweinidog rhag rhegi.

Ond yn y cariad fydd rhwng y muriau hynny
Ar noson y ddrama, bydd pawb yn deulu;
Bydd diniweidrwydd gwyn yr actorion
Yn troi'r pethau cyffredin, yn wyrthiol, yn eni,
A bydd yn ein nos, yn ein tywyllwch, y seren legrig
Yn cyfeirio'n ôl at y gwir Nadolig,
At y goleuni hwnnw na ellir mo'i gladdu.
Ac yng nghanol dirni ac enbydrwydd byd sy'n gaeth dan rym Herod
Fe ddywedir eto nad yw Duw ddim yn darfod.

Gwyn Thomas

Serena

Y Nadolig yn ei llygaid
ddeufis cyn ei ddod,
a'r twrci a'r trimins a'r trwst,
a'r disgwyl a'r rhyfeddu
sy'n arbennig i rai bach,
a'r credu anhygoel nad yw'n bosibl i neb
ond y saint perffeithiaf a phlant!

Eirin ei bochau,
blodau gwyllt ei gwallt,
a'r mefus aeddfetaf ei gwefusau;
awel o Eden oedd diniweidrwydd hon,
a'r gwynfydau i gyd yn wir
yn ei hwynepryd hi.

'Annwyl Siôn Corn, A gaiff Serena
feic . . .', hithau'n torri ar fy nhraws,
'Un glas – a phedale – a chloch!'
a minnau'n ufuddhau, wrth gwrs,
yr union eiriau . . .
A'r distawrwydd yn deyrnas amdanom
lle y disgwylid ei gert a'i geirw.

'Roedd y gorwel yn wyn
yn ei llygaid hi; yr eira'n drwch
o Aber-nant i ben draw'r byd,
a'r unig draffig ar y ffyrdd
y fechan hon ar feic.
(Mor chwithig fy chwerthin,
sinig esgeulus yn tarfu dwyster sant!)

Yno, safwn ar glwt o dir yn gweld y wlad
lle nad oes anghydfod na phechod na phoen,
dim ond breuddwydion ar ddod yn wir,
dof fel adar nen, a'r dangnefedd fawr
a chwennych holl bobloedd y byd
yn fyw i gyd mewn bychan ar gefn beic.

Rhydwen Williams

Nadolig Caerdydd

Fel hyn 'roedd hi 'Methlehem:

sŵn cân a chyfeddach
a chleber y pedleriaid
yn tynnu dŵr o'r dannedd,

yn nofio uwch y dyrfa
sy'n rhuthro a chythru gyda'r lli
o siop i siop,

o dafarn i dafarn
a chwyno a chrïo'r plant
yn atsain ym mhen mamau:

ffrae rhwng ffrindiau a chusan hir,
a than lygaid y plismyn
hogia'r wlad yn dyrnu gwario:

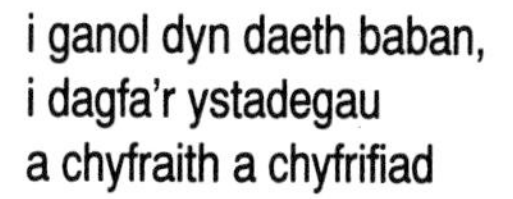

i ganol dyn daeth baban,
i dagfa'r ystadegau
a chyfraith a chyfrifiad

a llog a chyflog
a chyfle'n llithro
fel y dyddiau drwy'r dwylo:

i ganol y bwrlwm daeth baban
yn sgrech unig yn sgubor
tosturi rhyw westeiwr,

darn o'r sêr yn y gwellt gwlyb
a gwrid y gwin a'r groes
eisoes yn ei fochau bach:

i fyd yr archfarchnadoedd
daeth i ninnau yn nhyrfau'r nos
siawns i gyffwrdd â'r sêr.

Iwan Llwyd

James Bulger

(Y bachgen dwyflwydd a laddwyd yn Lerpwl. Arestiwyd dau fachgen 10 oed yn gysylltiedig â'r digwyddiad)

Mae arswyd yn lli'r Merswy
yn ceulo ofn mewn un clwy',
un â'i lol yn fythol fud,
un a'i gof ar gau hefyd.

Fe wylir dagrau hiraeth
ymhen oes am un a aeth,
cyhyd ag y gwêl y co'
ddau'n ei ddwyn oddi yno.

Hwn yw dydd ei gymryd o,
a dwyn y byd ohono,
hwn yw dydd y diwedd dall,
diwedd cyn dechrau deall.

Cariad mewn eiliad a aeth,
a'r eiliad oedd marwolaeth . . .

Mae hers ar lannau'r Merswy
a mynwes mam yn nos mwy.

Tudur Dylan Jones

Y graith

Mi dorraf botel ar y bar
A'i phlannu yn dy wyneb.
Mi drof yr ymyl yn dy gnawd
A'i rwygo mewn casineb;
Ond paid â gofyn pam rwy'n flin
A thithau'n Babydd at dy din.

Cei gario'n nos nes mynd i'r arch, –
Mae'r gwydr yma'n finiog,
Mi fydd dy blant yn cofio'u tad
Yn hyll ac un-llygeidiog;
A phan ofynnant pam a b'le
Dwed am y bastards yn y de.

Euryn Ogwen

Er cof am Kelly

(Sgwennwyd ym Melffast)

Geneth naw mlwydd oed
ar gymwynas daith;
peint o laeth gwyn
i gymydog.
Trwy gyrrau'r ffenest
gwyliodd ei mam,
ei gweld yn cerdded
a chwympo;
bwled wedi'i bwrw,
gwydr fel ei chnawd yn deilchion.

Panig wedi'r poen.
'My God, it's only a little girl,'
meddai'r glas filwr.
Moesymgrymodd.
Meidrolodd,
ei mwytho yn ei gledrau.

'Get you dirty hands off,'
medd cymydog mewn cynddaredd.
Y fam yn ymbil
am ei gymorth cyntaf –
olaf.

Gwisgodd amdani ei ffrog ben-blwydd,
dodi losin yn ei harch,
y tedi budr a anwesodd
o'i chrud.
ac aeth ar elor
angau ei noson hwyraf allan.

Menna Elfyn

Greddf gŵr, oed gwas;
Gwrhydri galanas.
Meirch chwim myngfras
Dan forddwyd harddwas.
Tarian ysgafn, lydan
Ar bedrain [1]mainfuan;
Cleddyfau glas, glân;
Gwregys aur ac arian.
Ni bydd, ni bu
Cas rhyngof a thi:
Gwell y gwnaf â thi
Trwy gân dy foli.
Cynt ei waed i'r llawr
Nag ef i neithiawr,
Cynt yn fwyd i frain
Nag i'w [2]argyfrain.
Cyfaill cu – Owain –
Garw ei fod dan frain.
Syn im ymha fro
'Bu lladd unig fab Marro!

Aneirin
Diweddariad

1. H.y. March main, buan.
2. Claddu'n ffurfiol.

Traffig

(y tu ôl i un o gerbydau'r fyddin)

Dwi'n eich casáu chi, hogia.

A'ch smôcs a'ch iwnifforms
yn chwerthin o gefn eich lori,
yn lordio hi 'mhell uwchlaw
nyni feidrolion dan eich hamddiffyniad.
Dach chi'n gwenu fel plant
uwchlaw y gynnau a fendithiwyd â'r linsians i ladd
er mwyn heddwch, wrth gwrs.

Dwi'n casáu
medalau eich teidiau teidi
ar Sul y cofio caled
a'ch iwnion jac fel swastica lednais.

Rhwydd hynt i'r sawl sy'n darnio'ch presenoldeb haerllug
yn storm y semtecs ac yng nghawod dân yr armaleit.

Be?
Gwaed pwy yn llifo rhwng pabïau Fflandyrs?
Yr un a lifodd eto'n ffos Gibraltar?
Iesu, ti'n galad
yn fy nhlodi fel o foeth casineb
yn dirmygu fy hawliau dynol i felltithio,
a thi dy hun yn gwaeddi dros y gwan
ar groes.

Dwi'n eich caru chi, hogia.

Siôn Aled

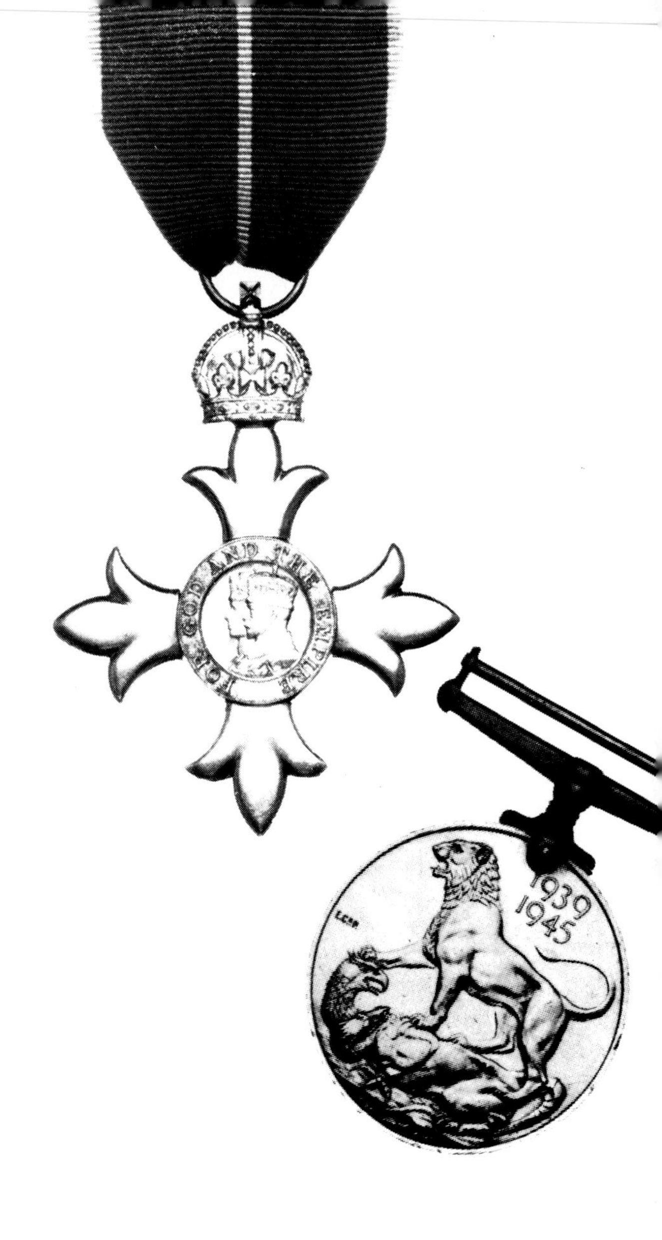

Sgrifen yn y tywod

Mae'r lôn fel craith ddu yn yr eira
a barrug ar y brigau yn dew,
un fran ar y gorwel yn gwylio'r ffin
a llyn Clywedog dan rew:

Chwefror yng Nghymru'n troi'n chwerw,
o dan dlysni fel cerdyn post
mae mamau'n effro yn ofni'r ffôn
a gweddwon yn cyfri'r gost:

> ac mae'r lluniau bob nos ar y Satellite
> yn dangos bod Duw o'n plaid
> a'r sgrifen yn nhywod y dwyrain yn dweud
> bod olew yn dewach na gwaed.

mae'r oerfel yn gafael yn y bysedd
grisial sy'n crogi o'r coed
ac mae gwres yr haf heno'n teimlo
mor ddiarth a phell ac erioed:

> ac mae'r lluniau bob nos ar y Satellite
> yn profi bod Duw o'n plaid,
> a'r sgrifen yn nhywod y dwyrain yn dweud
> bod olew yn dewach na gwaed.

ar lan yr Iorddonen mae'r ddaear
yn crino a chrio am law,
a'r cychod yn barod i dywys
eu cargo i'r ochor draw:

ac wrth i haul yr anialwch fachludo
gwelaf gowboi'n codi ei law
ac arwain y garafan i gyrion y paith,
a'r Navaho'n gwaedu gerllaw.

> ac mae'r lluniau bob nos ar y Satellite
> yn pregethu bod Duw o'n plaid,
> mae 'na aur yn y bryniau a phres yn fy nwrn
> ac mae olew yn dewach na gwaed.

Iwan Llwyd

Gwylnos

(Yn Aberystwyth, Rhyfel y Culfor, gaeaf 1991)

Cannwyll yn llosgi: ofnau'n ymgasglu.
Gwêr yn goferu: gwaed yn rhaeadru.
Dwylo'n dolennu: enaid yn trengi.
Fflam yn rhyw bylu: calon yn fferru.
Cadwyn ar dorri: byd yn ymrannu.
Diwedd y weddi a'r cread yn nadu
yn hwyr un nos
ddi-glasnost.

Delyth George

Y coed

Chwe miliwn o goed yng Nghaersalem, fe'u plannwyd hwy
Yn goeden am bob corff a losgwyd yn y ffyrnau nwy.

Coed sydd yn estyn eu gwreiddiau i ganol lludw pob ffwrn,
Y lludw sydd wedi mynd ar goll, heb fynwent na bedd na wrn.

Chwithig oedd gweled y cangau fel cofgolofnau byw,
Ac nid marmor na gwenithfaen, na hyd yn oed yr angladdol yw.

Ni chlywem ni na chlychau'r Eglwys na Mŵesin y Mosg,
Ond clywed rhwng eu cangau hwy y marwnadau llosg.

Nid yw'r dwylo a'u plannodd yn ddieuog, na'u cydwybod yn lân,
Canys diddymodd yr Israeliaid bentrefi'r Arabiaid â'u tân.

Pam na ddylai'r Arabiaid, hwythau, godi yn Cairo ac Amân
Fforestydd o goed i gofio?

Ond ni allwn ni gondemnio'r Natsïaid na'r Iddewon ychwaith
Canys fe droesom o'r awyr Dresden yn un uffern faith;

A gollwng y ddau fom niwclear ar y ddwy dre yn Japan.

O'r holl ganrifoedd a gerddodd ar y ddaear er cychwyn y byd,
Yr ugeinfed yw'r fwyaf barbaraidd ohonynt hwy i gyd.

A bydd y nesaf yn waeth am fod y bomiau a'r rhocedi yn fwy,
A dyfeisir mewn labordai dirgel sawl math o nwy.

A phan ddaw'r trydydd Rhyfel i gadw ei ddychrynllyd oed,
Ni ellir rhifo'r lladdedigion llosg, na rhifo ychwaith y coed.

Chwe miliwn o goed yng Nghaersalem, chwe miliwn, a thair croes,
Ac ar y ganol Yr Unig Un a fu'n byw'r Efengyl yn ei oes.

Daw'r tymhorau i newid eu lliwiau, gwyrdd, melyn a gwyn.
Ond coedwig y marwolaethau'n aros a fyddant hwy, er hyn.

Pan fyddant ymhen blynyddoedd wedi tyfu i'w llawn maint,
Fe wêl y genhedlaeth honno nad oeddem ni yn llawer o saint.

Gwenallt

Ble nesaf?

Mae arna' i ofn heddwch. Nid ofn y parêds na'r partïon
Na'r swagro yn llwyddiant y taflegrau a'r tanc,
Nac ofni'r beddau torfol sy'n gwireddu'r sïon
Am fwldosio cyrff i'r tywod pan aeth grym yn granc;
Nid ofni'r celwydd a ddwed yfory'r gyflafan
Nad oedd y gwir a gyhoeddwyd ddoe yn wir i gyd,
Nac ofni'r llygaid diblentyndod, dihafan
Fu inni'n elynion, medden nhw, am ryw hyd;

Ond ofn yr anghofrwydd sydd eto'n codi targedau,
Sy'n neilltuo tir ar gyfer mwy o groesau gwyn,
Sy'n radar effro, tan y trwch teyrngedau,
Yn agor y llwybrau lle bydd eto gnawd ynghyn;

Pan dyf cynffonnau'r ŵyn drwy ffroen y dryll,
Bydd crawc y cigfrain eisoes uwch y cyll.

Myrddin ap Dafydd

Mae gen i freuddwyd

Mae gen i freuddwyd am y wlad
Lle bydd pawb yn bobol,
Lle na fydd gormes na nacâd
Na chas byth mwy dragwyddol.

Mae gen i freuddwyd am y wlad
Lle bydd diwedd angau,
Lle na fydd cynnen, trais, na brad,
Lle na fydd ofn cadwynau.

Mae gen i freuddwyd am y wlad
Lle bydd cariad yno,
Lle na fydd dicter mwy, na llid,
Lle na fydd neb yn wylo.

A disglair ydyw'r muriau mawr
A hardd fel môr o wydyr,
A'r pyrth a egyr yn y wawr
I fyd a fu ar grwydyr.

Mae ar hyd yn oed ddynion lludw,
Du eu lliw, eisiau byw.

Gwyn Thomas

Anne Frank

Bu gennyt tithau freuddwyd.

Wedi colli rhamant cynnar y sêr,
A'u lluniau'n pylu eu lliw
Ar dy barwydydd,
Hiraethaist am ddawn lenydda.

Dawnsio'n groten greadigol
Ar lwybrau'r Tylwyth Teg,
Arogli blodau'r dychymyg
A rhyfeddu at lendid angylion.
Ond drylliwyd dy wynfyd
Gan y chwain a bigai yn dy fforchog.

'Roedd y Führer ar daith.

Yn ei ymdrech i buro'i bobl
Rhoes lygad milwrol i wylio rhes Prinsengracht,
Tra oedd Amsterdam
Yn gamlesi o gasineb
A'r pontydd rhwng Almaenwr ac Iddew
Yn gandryll i gyd.

Tithau, â'th goesau bach
Yn dringo grisiau'r gyfrinach
Gan gredu y byddai ysgol dy ymroddiad
Yn cyrraedd nef;

Yng nghefn y llyfrau
Roedd y drws i'r *llyfr,*
Ac am ddwy flynedd ddyfal
Cripiodd dy sgrifen ifanc
Dros dudalennau'r Dyddiadur.
Mor dawel â llygoden fach
Croniclaist wae y cyfnod cïaidd.

Yna'r anghenfil olwynog
Yn dadlwytho milwyr wrth y tŷ.
Sgidiau hoelion yn ysglodi'r grisiau
A'r bidogwyr yn digyfroli'r silff-dwyll hyd at ei
cholfachau.

Gwelaist dan draed
Ymroddiad y misoedd
Yn sarn munud,
A chlywaist y dramp ryfelgar
A'th lusgodd ar daith Auschwitz a Belsen
Yn waedd ddiateb
'Pam, pam, pam?' —

Nid â fflam
Ac nid â nwy
Y mynnwyd dy ladd.

I ddiffodd y gannwyll oedd yn olau,
I chwalu'r freuddwyd
Daeth y dwymyn fel chwain i'th ymysgaroedd;
A'r Angau,
O agor ei lygaid i athroniaeth y rhoi a'r caru,
Yn tosturio wrthyt,
A'th adael i farw'n lled-naturiol
Fel pe na bai rhyfel yn bod.

Heddiw
Deil drws rhif 263 ar agor o hyd,
Ac i fyny fry uwchlaw'r grisiau serth
Saif y silff-lyfrau, yn ôl yn ei lle.

Mae'r llyfr ymhobman.

Gall yr ymwelydd ddarllen
Mewn cofnod rhyddieithol
Fod Dyddiadur Anne Frank bellach wedi gwerthu dros dair miliwn ar ddeg o gopïau a'i fod wedi ei gyfieithu i fwy na hanner cant o wahanol ieithoedd.

Plygais fy mhen mewn hiraeth
Wrth feddwl yno amdanat, ferch y freuddwyd,
A llawenychais yn dy le gan weiddi yn fy nghalon
'Anne, daeth y freuddwyd yn wir!'
A chlywais wich dawel llygoden fach
Yn adleisio fel rhuad llew
Trwy gynteddoedd Hanes.

J.Eirian Davies

Mae'r coed yn marw *

Mae'r coed yn marw ym Margam,
mae'r coed yn y Gilfach yn glaf;
mae'r coed drwy Gymru'n welw,
yn welw ar ganol haf.

Mae'r coed ledled daear yn wylo,
eu canghennau'n llusgo i'r llawr;
mae'r coed pendefigaidd yn pydru,
pinwydd, gwinwydd – daeth eu hawr!

Pan welwn y coed yn dihoeni
a'u brigau'n peri gofid a braw,
edrychwn tua'r nefoedd i weled
a oes argoel am gawod o law.

Fe ddisgynnodd y gawod heddiw,
y gawod i leddfu'r holl gur,
ond gwenwyn pob diferyn a gafwyd
a'r gawod iachusol yn sur.

Rhydwen Williams

* Mae Gweinyddiaeth yr Amgylchedd am gymryd pum mlynedd arall i archwilio achosion y glaw asid sy'n bygwth einioes y coed.

Cragen y môr

Eco o'r eigion ei hunan
Yw cragen heno.

Eco wan y môr ar y marian
Yn cloffi ac yn marw.

Eco'r dŵr a dyr ar y graig
Cyn crwydro draw yw'r gri.

Eco y storm ei hun
Pan fo honno'n tolcio, ysu daear am hir.

Eco yw'r chwiban o wylan y wawr
A lliw haul yn ei hesgyll hi.

Eco o'r eigion ei hun
Yw cragen heno.

Gwynne Williams

Y môr

Bywyd.
Tarddle'r dechreuad.

Heigiau o bysgod
yn dawnsio'n loyw'n
y dyfnderoedd,

lluosogi'n y lli.

Ac yna
fe ddaeth yr olew.

Tagodd ffynhonnau'r dyfroedd.

Taflodd y dyn ar y lan
ddarnau o'i ddychymyg
llygredig
iddo.

Poteli gweigion
o bop a gwenwyn
yn siglo.
Iwraniwm
ynghudd dan y genlli
yn clincian angau
i lawr y canrifoedd,

a dynion
yn gorfoleddu
ym marwolaeth y môr.

Einir Jones

Ynys Afallon

Uwchlaw y môr a'i donnau,
tu hwnt i lanw blêr
torfeydd a thagfeydd traffig,
yn werddon dan y sêr

roedd ynys i greaduriaid
dorheulo a thwtio plu:
heno mae'i chywion hithau'n
boddi'n y gwaedlif du.

Mae'r storm yn cau amdanom,
'does dim amdani ond ffoi
a dilyn lli'r cerbydau
ar draffodd heb le i droi,

a chwilio am Ynys Afallon:
heno 'does dim lle bu
ond cerrynt y môr a thonnau
creulon y llanw du.

Iwan Llwyd.

Cynnydd

Oferedd, erbyn hyn, yw bod yn edifeiriol
am fynnu pibellau'n sleim i afonydd
a slwdj ein carthffosiaeth i draethau
fu'n loyw unwaith. Canlyniad cynnydd

yw hyn holl, ac mae'n rhaid i ni
wrth gynnydd er ei holl warth a'i gynnen;
mae'n rhaid i fywyd dyfu o hyd, ac i fynd
ymlaen yn ddi-os, neu aros a chrynhoi'n hen

gors gaeëdig, rhywbeth gwaeth,
hyd yn oed, na charthion ar daethau ac afonydd.
Cabledd yw pregethu heddiw'n
erbyn hyn, a ninnau'n dibynnu bob dydd

ar gynnyrch technoleg. Derbyniwn ei thechnegau
yn awyddus i'n tai a'u defnyddio
heb feddwl 'run iod am dywod dan
laid, ac mae'n rhaid i ni reidio

mewn moduron yn y byd sydd ohoni
heb boeni bod gwylanod yn drifftio i'n glannau
yn dalpiau ansymudol o olew.
Ond mae'r llanast 'ma'n ymledu 'nawr dros deimladau'r

byd technegol; maen nhw'n dod i sylweddoli
na fedrant bara'n yr ynfydrwydd
hwn o hyd heb dalu sylw i stad eu bodolaeth
ar ddaear o ddŵr a dail, dod i ŵydd

bywyd wrth bob afon a bae
sy'n gorwedd mewn budreddi.
Cafwyd cychwyn ar gynlluniau
i adael lliwiau'n ôl i'r glannau, goleuni

i ddychwelyd i ddŵr bawlyd. Mae gan ddyn
y nerth i ddad-wneud y drwg yn lendid ar dro;
hyn yw'r unig gariad all roi mewn gwirionedd
'nawr i'r pur a'r asur bu'n dreisio.

Donald Evans

Atomfa

Bore o niwl oedd hi
a'r car
yn dringo'n araf
am allt Trawsfynydd.

Glendid yn groen gwyn
am gyhyrau'r cawr.
Trefnusrwydd modern
botymau a goleuadau
yn dofi'r ymennydd enfawr.
Gwifrau'n hymian, a sibrwd eco
o ryferthwy ei gân ddu.

A'r car yn dringo'n araf
yn y niwl llwyd.

Ehedodd pioden heibio
o'r bryniau plwtoniwm

yn araf
ac yn glaf.

Niwl,
niwl yr anwybod.
Cysgod yr anlwc a'r anras
yn glir yn y niwl.

Einir Jones

Damwain

Bu Damwain!
Chwalwyd sancteiddrwydd temlau Gwyddoniaeth
gan sgrech goch.
Chwythodd gwynt distryw yn greulon,
fel y gwnaeth erioed.
Roedd gwaed ar y lloriau gwynion –
drych i wylo wenfflam y seiren.

Ac yna,
wedi gwywo'r madarch,
wedi i'r fflam olaf ddiffodd
mewn uffern o waedd dawel,
wedi dyfod gaeaf anfodolaeth . . .

Distawrwydd.
Dim ond
distawrwydd.
Y tai, a'u llygaid bregus
yn deilchion
yn rhythu'n husterig i
wynebau gwag ei gilydd.
Gorwedd Du a Gwyn
yn gymdeithion yn y strydoedd
a'u hesgyrn yn felyn
o dan elfennau diarth.
Dim ond y ti, golomen wen,
sydd 'yma o hyd',
yn sipian dŵr llonydd.
Dŵr na wna eto enfys.
Gwenwyn.

Mae Angau yn cerdded
lle bu gynt ein rhodfeydd.
Gwacter sydd y tu ôl i'w lygaid,
ond ni chelir dim rhagddo,
canys hwn a una bob rhwyg
ac a chwala'n chwilfriw'r pethau cyfain.

Ac yn ei sgil –
y gwynt.
Gwynt oer yn sleifio hyd ein palmentydd,
yn llithro'n ddihid i bob ystafell
i chwythu'n llwch 'anfarwol'
tua'r sêr.
Na, ni allodd dyn drechu'r gwynt –
dyn, a drechodd ef ei hun.

Damwain.

Mererid Puw Davies

Ble mae Chernobyl?

'Chernobyl! Ble mae Chernobyl?'
Dyna a boenai Ifan yr Hafod.

Ble *mae* Chernobyl?

'Chernobyl?' meddai Phebi'r wraig yn sgaprwth.
'Ifan Bach, mae e bant draw 'mhell.'

Ond pa mor bell?

Deuai'r newyddion fel tôn gron –
Chernobyl, Chernobyl, Chernobyl . . .

Craen cryf wedi sigo'i fraich
Gan ddymchwel yn glindarddach i gyd
Ar ben adweithydd,
A'r fflamau'n llyfu'r ffurfafen;
Roedd edrych ar y drychineb fel edrych i hafflau uffern.
Cronnai'r llwch yn gwmwl a hwylio i'w hynt ar adenydd y
gwyntoedd.

Wyddai Ifan a Phebi ddim mwy am yr Wcrain
Nag a ŵyr buwch am bechod.

Yn eu hanwybodaeth fendithiol
Pa obaith iddynt wybod *ystyr* yr enw Chernobyl?

Ni wyddent am ardal y wermod
Lle mae gwaelod y fasged fara
Yn gyfor o'r llysiau chwerw.

Ar gyrion agos eu gorwel hwy
Nid oedd ond eithin a grug
A'r clawdd cerrig yn cau'n ofalus
Am fychanfyd eu tyddyn glân.

Ymystwyrodd Ifan.
'Wy'n mynd mas.'
Clymodd ei garrai.
Gwisgodd ei got.

Aeth allan i storm Ebrill
I gael golwg ar yr ŵyn.
Bore Gwlyb.
Bwrw Glaw.

Wrth weld y pellenni gwlân a branciai ar y bryncyn
Meddyliodd Ifan am lendid oen ac am hagrwch dyn.
Diniweidrwydd a phechod:
Ac yno, ar fore llaith
A'r cymylau'n fygythiol o drwm,
Diolchodd mai gwladwr ydoedd
A'i lwybrau am y clawdd â theyrnas nefoedd.

* * * *

Babanod hen cyn eu geni;
Eu gwallt, fel gwallt gwrachod,
Yn hongian am dyllau-llygadau gwag;
Dannedd llym fel dannedd llewod
Lle na ddylai dant fod.
Erthylod o greadigaethau,
Clwyfedigion diwylliant gwyddonwyr,
Crafion y crombil atomaidd
Wedi'r awr yr aeth dyfais yn drech na'r dyfeisiwr.

Ifan a Phebi!
Onid yw Amser wrthi yn ateb eich cwestiwn?

Ble mae Chernobyl?

Nid bant ymhell
Ond *ynoch* yn rhywle,
Yn nes atoch na'ch anadl eich hunain.

Daeth Chernobyl i lethrau Cymru
Ac i gaeau'r Hafod.

Ynoch y mae, ac ynom ninnau,
Yn ein plant, a phlant ein plant.
Bydd ynom
Hyd nes y bo'r cancr wedi concro'r esgyrn
A'r lewcemia wedi cymysgu celloedd y gwaed,
Nes llurgunio'r ddynoliaeth a'i lladd yn gelain gorn

Ond bu newid ar bethau.
Bellach gwerthwyd y stoc ar golled.
Aeth yr oen bach yn rhan o'r hen bechod.

Dywedwst yw Ifan a Phebi fin hwyr
Pan ddaw'r glaw i bitran ac i batran ar dalcen y ffenest.

Bydd Ifan yn cofio am Ioan Ddifinydd ar ei ynys dawel
Pan ddiferodd seren fawr i'r afonydd a'r dyfroedd.
Seren y wermod.
Yn chwerwi llawenydd plant y llawr
Ac yn difa'u hedafedd
Nes i bawb weiddi'n wyllt,
'Gwae, gwae, gwae i'r rhai sydd yn trigo ar y ddaear.'

Yn gymysg â gwlybaniaeth y glaw
Rhed dagrau'r babanod
Sy'n llefain o'r awyr, lle mae cenllysg a thân
Yn ymgydio ar eu gwely gwaed.

J. Eirian Davies

Y diwedd?

Machlud o dân
yn gwrido'r gorwel,
a'r fflamau'n diffodd
            yng nghrochan y môr.

Gwynt yn cyfarth y cymylau,
a brath ei arswyd
            yn treiddio i fêr fy esgyrn.

Glaw yn socian y gwenwyn
a'i swatio ym mynwes y ddaear,
ac amdo'r niwl
            yn claddu'r mynyddoedd.

A ddaw'r awr
pan losga'r haul yr amdo,
a phan chwythir ein llwch
gan y gwynt gwenwynig
   a'i wasgu gan fysedd y glaw
            i berfeddion ein planed?

A welir colsyn o fyd
   yn ymrwyfo'n afreolus
            yng ngwyll y gwagle?

Selwyn Griffith

Cydnabyddiaeth

Lluniau

Ruth Jên – Tud. 10, 11, 30, 31, 36, 37, 74, 78, 96, 97, 98, 99, 103, 104, 105, 106, 124, 125, 126
Keith Morris – Tud. 19, 23, 24, 26, 33, 68, 69, 77, 84, 89, 127
Elwyn Ioan – Tud. 20, 21, 27, 54, 56, 67, 73
Dylan Williams – Tud 100, 101
S4C – Tud. 55
Tony Goble – Tud. 13
Catrin Williams – Tud. 16, 17
Iwan Bala – Tud. 28
Marc Vyvyan Jones – Tud. 42, 43
Paul Davies – Tud. 48
Ray Daniel (gyda diolch i *Golwg*) – Tud. 59
Peter Telfer – Tud. 70, 71, 86
Greenpeace – Tud. 133, 139
Nicholas Evans – Tud. 106
Peter Lord – Tud. 120
Hughes a'i Fab – Tud 39
Cyngor Dinas Caerdydd – Tud 52
Aled Jenkins (gyda diolch i *Golwg*) – Tud 118
David Purchase (gyda diolch i'r BBC) – Tud 62, 63
Marian Delyth – gweddill y tudalennau

Diolch i'r beirdd am eu cydweithrediad ac hefyd i'r canlynol:
Cyhoeddiadau Barddas, Gwasg Taf, Gwasg Gomer, Gwasg Gwynedd, Gwasg Gee, Gwasg Gwalia, Christopher Davies (Cyhoeddwyr) Cyf., Hughes a'i Fab, Gwasg Honno, Gwasg Annwn, Gwasg Prifysgol Gymru, Urdd Gobaith Cymru, Eisteddfod Genedlaethol Cymru, *Golwg, Barn,* Nel Gwenallt.

Comisiynwyd 'Garej Lôn Glan Môr', Steve Eaves gan Gwmni Teledu Rebecca ar gyfer 'Tudalen 88'.

AM RESTR GYFLAWN o lyfrau'r Lolfa, anfonwch am eich copi personol, rhad o'n Catalog lliw-llawn – neu hwyliwch i mewn i **www.ylolfa.com** ar y We Fyd-eang!

TALYBONT CEREDIGION CYMRU SY24 5AP
e-bost ylolfa@ylolfa.com
y we www.ylolfa.com
ffôn (01970) 832 304
ffacs 832 782
isdn 832 813